Y Goliau a'r Dagrau:

Stori Tash Harding

Natasha Harding
gyda Dylan Ebenezer

y lolfa

CYNGOR LLYFRAU CYMRU

ISBN: 978 1 78461 699 1
Argraffiad cyntaf: 2019

Mae'r prosiect Stori Sydyn/Quick Reads yng Nghymru yn cael ei gydlynu gan Gyngor Llyfrau Cymru a'i gefnogi gan Lywodraeth Cymru.

Argraffwyd a chyhoeddwyd gan
Y Lolfa, Talybont, Ceredigion SY24 5HE
gwefan www.ylolfa.com
e-bost ylolfa@ylolfa.com
ffôn 01970 832 304
ffacs 832782

1

Bargoed

DECHREUAIS I CHWARAE PÊL-DROED pan o'n i'n bump oed – yn bennaf achos 'mod i'n mynd ar nerfau Mam. Dwi ddim yn gwybod pam ei bod hi wedi cael y syniad yna!

Ro'n i'n blentyn llawn egni ac o dan draed drwy'r amser, felly roedd hi eisiau 'nghael i allan o'r tŷ. Ac achos bod fy nghefndryd i gyd yn chwarae pêl-droed 'nes i ddechrau chwarae hefyd. Roedd pawb bach yn hŷn na fi, felly dyna pam 'nes i ddechrau chwarae. Rheswm arall oedd 'mod i'n cael ymladd yn erbyn y bechgyn a neb yn rhoi row i fi.

Rydyn ni wastad wedi bod yn agos fel teulu. Wel, does dim dewis gyda chi pan mae'r teulu mor fawr. Ac rydyn ni wastad wedi byw yn agos hefyd. Mae pawb yn byw o fewn dwy filltir i'w gilydd ac wedi gwneud hynny ers blynyddoedd. Caerffili yw enw swyddogol yr ardal rydyn ni'n byw ynddi ond mae pawb lleol yn dal i ddweud Morgannwg, neu Glamorgan, i fod yn hollol onest.

Bargoed – Aberbargoed – Gilfach – Cefn Hengoed – Cascade – Bryntirion. Dyna'r llefydd bach sy'n gartref i'n teulu mawr ni.

Diane a Richard yw Mam a Dad, a fi yw'r hynaf o dri o blant. Ac wrth gwrs, fi yw'r bòs. Er, sai'n siŵr bod Ryan a Leah yn cytuno gyda hynny.

Mae rhai o'r teulu yn dda am chwaraeon hefyd. Mae Ryan yn gyflym, mae e'n dipyn o *speedster*. Ac roedd Dad yn arfer chwarae ar yr asgell i Cefn Forest yn y Coed Duon. Mae pobl yn dweud ei fod e'n chwaraewr da, ond erbyn hyn mae ei fola'n lot rhy fawr!

Mae Nan a Bamps yn dal i fyw yn lleol ac os wna i ddweud wrthoch chi fod Nan yn un o saith o blant, gallwch chi ddeall bod yna deulu gyda ni dros bob man yn yr ardal. Mae un deg chwech o bobl o gwmpas y bwrdd ar gyfer cinio Nadolig. Lot o sŵn a lot o hwyl!

Mae gen i deulu ym Manceinion hefyd a dyna pam dwi'n cefnogi Manchester Utd. Fydden i byth wedi meddwl y bydden i'n symud i fyw yno i chwarae pêl-droed. Ac i Manchester City o bob man!

Ond dwi'n rhuthro ymlaen yn rhy gyflym gyda'r stori nawr, fel arfer.

*

Bargoed YMCA oedd y clwb lle 'nes i ddechrau chwarae pêl-droed, a fi oedd yr unig ferch yng nghanol y bechgyn. Aberbargoed a Cascade oedd y gelynion mawr. Efallai fod llawer ohonoch chi ddim wedi clywed am Cascade – pentref bach ger Nelson – ond roedd wastad tîm rili dda gyda nhw.

Doedd dim un ferch arall yn chwarae i'r clybiau yma, dim ond fi. Pan o'n i'n fach ro'n i'n meddwl bod merched ddim yn chwarae pêl-droed. Ond achos 'mod i'n chwarae'n ocê ro'n i wastad yn cael croeso mawr ac yn cael chwarae gyda'r plant hŷn. Pan o'n i'n saith oed ro'n i'n chwarae gyda'r bechgyn mawr ar gae mawr.

Ac yn un o'r gemau yna daeth y siom gyntaf. Gêm yn erbyn Cascade oedd hi yn yr hydref, gêm go iawn, un ar ddeg chwaraewr yn erbyn un ar ddeg. Roedd pethau'n mynd yn dda hefyd, cyn i fi rwygo cyhyrau yn fy nghoes. Roedd e mor boenus, ond ro'n i eisiau cario mlaen. Ond roedd rhaid i fi adael y cae. Dyma'r dagrau'n dechrau wedyn, ro'n i'n methu stopio! A dwi'n cofio dweud wrth fy hunan:

"Dwi byth eisiau i hwnna ddigwydd eto. Dwi byth yn mynd i adael i'n hunan fod yn y sefyllfa yna eto."

I wneud pethau'n waeth enillodd Cascade y gêm, 2–1.

Ond 'nes i ddod yn ôl ac yn y gêm nesaf yn erbyn Cascade roedd y sgôr yn wahanol iawn. Ni enillodd y tro yma o 5 gôl i 0, gyda fi yng nghanol pethau yn dangos fy sgiliau, a'r triciau i gyd yn dod allan. Un peth amdana i – dwi byth yn gadael i'r siom bara'n hir.

Nid pêl-droed oedd yr unig gêm. Ro'n i'n chwarae lot o chwaraeon eraill hefyd. 'Nes i chwarae rygbi i'r ysgol fach, Ysgol Gyfun Gymraeg Gilfach, ym Margoed. Ac i glwb Deri, gyda'r bechgyn unwaith eto.

Daeth sgowt i 'ngwylio i hefyd o dîm datblygu Cwm Rhymni. Tîm bechgyn oedd hwn ond doedd e ddim wedi sylweddoli mai merch o'n i. Roedd rhaid i'r hyfforddwyr ddweud wrtha i 'mod i'n methu chwarae er 'mod i'n ddigon da.

Roedd clywed hyn yn sioc fawr. Dyma oedd y tro cyntaf i fi brofi siom fel hyn. Ond ddim y tro olaf.

2

Aberystwyth

MAE'N RHAID 'MOD I'N gwneud rhywbeth yn iawn achos pan o'n i'n un ar ddeg daeth y cyfle cyntaf i chwarae dros Gymru.

Ges i wahoddiad i fynd am dreial gyda merched Cymru ar gyfer cystadleuaeth oedd yn cael ei chynnal yn Aberystwyth bob blwyddyn. Y peth cyntaf ddwedais i oedd,

"Do'n i ddim yn gwybod bod merched eraill yn chwarae pêl-droed!"

Ro'n i wir yn meddwl mai fi oedd yr unig un!

Dwi'n cofio Mam yn gyrru i lawr i Erddi Soffia yng Nghaerdydd a chwrdd â'r merched eraill o Gaerdydd, y Barri a Chasnewydd. Fi oedd yr unig un o bentref bach ger Bargoed.

Yn y bore ro'n i ar y cae gyda merched yr un oedran â fi, ac roedd pethau'n mynd yn grêt. Ro'n i'n chwarae yn llawn hyder.

Stepovers oedd fy hoff dric i ar y pryd – pan ydych chi'n codi'ch traed dros y bêl er mwyn twyllo'r chwaraewr arall. Ro'n i'n neud nhw trwy'r amser.

Mae'n rhaid bod rhywun wedi sylwi, achos erbyn amser cinio daeth hyfforddwr draw ata i a dweud 'mod i'n mynd i ymarfer gyda'r merched hŷn yn y pnawn. Felly, 'nes i symud o'r tîm dan 12 i'r tîm dan 14 mewn un bore. Amser yn hedfan yn bendant!

Dyma'r tro cyntaf i fi gwrdd â merched fel Jess Fishlock a Gwennan Harries. Ac rydyn ni i gyd yn dal yn ffrindiau mawr hyd heddiw. Mae'n anhygoel ein bod ni i gyd wedi mynd mlaen i chwarae gymaint o gemau dros Gymru.

Mae Jess yn berson arbennig ac roedd hi'n amlwg o'r dechrau ei bod hi'n mynd i fod yn chwaraewr arbennig hefyd.

'Nes i ddechrau siarad tipyn gyda Gwennan am y rheswm syml ei bod hi'n siarad Cymraeg, ond bydden i'n dod i'w nabod hi'n lot gwell cyn diwedd yr haf.

*

Ar ôl y treial 'nes i geisio anghofio am garfan Cymru ond roedd hynny'n anodd iawn. Ro'n i'n methu aros i glywed oedd y treial wedi mynd yn dda. Wel, ro'n i'n gwybod bod pethau wedi mynd yn dda ond weithiau dyw hynny ddim yn ddigon. Ac yna, o'r diwedd, daeth y llythyr pwysig yn dweud 'mod i yng ngharfan Cymru. Aberystwyth, dyma fi'n dod!

Roedd mynd i Aber yn antur enfawr, fel bod ar wyliau, gyda Mam a Bamps yn gyrru eto yr holl ffordd o'r Rhondda. Ac fel sydd fel arfer yn digwydd gyda phobl o'r Cymoedd, ro'n ni wedi mynd ar goll. Roedd cyrraedd Aber yn ocê, ond roedd ffeindio'r brifysgol yn amhosib. Doedd dim Sat-navs ar gael y dyddiau hynny, felly roedd rhaid i ni stopio llwyth o bobl er mwyn holi'r ffordd. Dyw Aber ddim yn lle mawr ond ro'n ni'n dal wedi llwyddo i fynd ar goll.

O'r diwedd dyma ni'n ffeindio'r lle cywir a 'nes i gwrdd â phawb yn y dderbynfa gyda fy siwtces bach. Ro'n i'n cofio lot o'r merched o'r treial yng Nghaerdydd ond ro'n i'n dal bach yn shei. Dyw hynny ddim yn digwydd yn aml ond rhaid cofio 'mod i ddim ond yn un ar ddeg oed ar y pryd, ac roedd y rhan fwyaf o'r merched yn dair ar ddeg. Mae hynny'n gallu bod yn wahaniaeth mawr yn yr oedran yna.

Ar ôl ychydig bach dyma nhw'n galw enwau pawb er mwyn dweud pwy oedd yn aros ym mha stafell, a dyma fi'n clywed "Harding a Harries". Lwcus bod enwau Gwennan a fi yn agos yn yr wyddor. Mae ein cyfenwau ni'n debyg ac ro'n ni'n edrych yn debyg iawn ar y pryd hefyd. Dwy ferch o'r de gyda gwallt tywyll, y ddwy'n chwarae yn yr ymosod, ond y gwahaniaeth mawr yw 'mod i'n siarad lot mwy!

Gwahaniaeth arall yw 'mod i'n defnyddio llwyth o *hairspray*. Mae Gwennan yn dal i gwyno! Ro'n i'n hoffi rhoi 'ngwallt yn ôl mewn *ponytail* ond yr unig ffordd i'w gael e i aros yn ôl oedd gyda *hairspray*. Lot o *hairspray*! Neu *hair lacquer*, fel rydyn ni'n dweud yn y Cymoedd. A dyna lle roedd Gwennan yn disgwyl i fi orffen, yn ceisio mynd i lawr am frecwast neu i ymarfer. Roedd e fel tase peiriant mwg yn yr ystafell achos yr holl *lacquer*.

'Nes i a Gwennan glicio'n syth – ar y cae ac oddi ar y cae.

*

Dyma oedd fy mhrofiad cyntaf i o fod mewn camp. Dyna maen nhw'n galw'r cyfnod pan mae tîm pêl-droed yn dod at ei gilydd am amser hir i baratoi ar gyfer gêm neu gystadleuaeth. Ro'n i'n caru'r profiad yn syth. Dyma oedd fy mhrofiad cyntaf i hefyd o weld pawb yn yr un cit, pawb yn edrych yn smart yn yr un *tracksuits*. Mae hyn yn gwneud gwahaniaeth mawr. Chi'n teimlo'n sbesial.

Roedd y timau i gyd yn aros yn neuaddau'r brifysgol, felly roedd pawb yn cymysgu, a phawb yn cymharu ffasiwn. Y peth mawr i fi oedd gweld chwaraewyr hŷn yn gwisgo sandalau a sanau. *Sliders* rydyn ni'n galw'r sandalau yma, y rhai sy'n edrych bach fel sliperi ond gyda'r bysedd yn sticio allan yn y blaen. Mae pêl-droedwyr yn eu hoffi nhw achos maen nhw'n gyfforddus ac mae'n hawdd newid o sgidiau pêl-droed yn gyflym heb orfod newid o'r cit.

Y peth cyntaf ro'n i eisiau ar ôl mynd gartref oedd pâr o *sliders*. Doedd dim *sliders* gyda Gwennan chwaith. Mae hi'n ferch ffarm, felly welis oedd gyda hi!

Roedd y gystadleuaeth yn Aberystwyth

wedi bod yn digwydd ers blynyddoedd. The Ian Rush Tournament oedd yr enw gwreiddiol cyn cael ei newid i fod yn Welsh International Super Cup. Posh iawn! Roedd yn denu timau o bob rhan o'r byd ac roedd rhai o'r enwau mawr wedi chwarae yno hefyd – chwaraewyr gwych fel Michael Owen, Steven Gerrard ac Andriy Shevchenko.

Roedd ein hymosod ni yn wych yn y gystadleuaeth – fi ar un asgell, Gwennan ar y llall a Jess yn y canol. Roedd Jess yn anhygoel. Roedd hi'n edrych fel bachgen bach blond. Rydyn ni'n dal i'w galw hi'n 'little blonde boy'.

Roedd y gemau cyntaf yn erbyn Manchester Utd, Norwich a Reading. Roedd timau o America a Denmarc yno hefyd. Aeth tîm Cymru yr holl ffordd i'r rownd derfynol ac ennill, yn erbyn Man Utd eto! Dyma oedd fy hoff dîm i ac roedd Mam a Dad a Bamps wedi dod i wylio hefyd. Mae'r llun yn dal i fod ar y wal yn nhŷ Tad-cu.

Sgoriodd Jess *hat-trick* yn y rownd gynderfynol a sgoriodd Gwennan *hat-trick* yn y ffeinal! Doedd dim angen bod yn arbenigwr i weld eu bod nhw'n mynd i fod yn chwaraewyr gwych.

Dyma'r eiliad newidiodd popeth i fi. Dyma beth ro'n i eisiau'i wneud gyda fy mywyd. Chwarae pêl-droed, chwarae i Gymru. Ond roedd y freuddwyd bron â dod i ben cyn iddi hyd yn oed ddechrau.

3

Bargoed

Y GYSTADLEUAETH YN ABERYSTWYTH oedd y tro cyntaf i fi chwarae mewn tîm o ferched. Heblaw am hynny ro'n i'n dal i chwarae gyda'r bechgyn, yn ymarfer dair neu bedair gwaith yr wythnos ac yn chwarae i Bargoed YMCA.

Ond un diwrnod newidiodd y cyfan.

Ro'n i wedi chwarae i Bargoed YMCA trwy gydol fy mywyd. Parc Dyffryn oedd y cae lleol, a hwn oedd Wembley i ni. Ond ddim mor posh wrth gwrs! Roedd rhaid newid yn y YMCA ac wedyn cerdded tua chwarter awr i'r cae. Lawr â ni o dan yr hen *viaduct* oedd dros afon Rhymni ac yn sydyn, yng nghanol unman, roedd y cae yn ymddangos. Doedd dim seddi, cofiwch, dim ond clawdd a choed. Ond roedd e'n dal yn sbesial, yn enwedig i rywun mor ifanc, ac roedd hi'n grêt cael chwarae ar gae mawr yn erbyn y bechgyn mawr.

'Nes i gyrraedd un sesiwn ymarfer gyda Bargoed, yn barod i chwarae fel arfer. Ond daeth yr ysgrifennydd, Ryan Thomas, draw i gael sgwrs gyda fi. Roedd Mam gyda fi hefyd, diolch byth, achos roedd y newyddion yn ofnadwy.

"Mae'n rhaid i ti stopio chwarae gyda ni, Tash. Ni wedi cael rhybudd mai tîm bechgyn yn unig yw hwn."

Do'n i ddim yn gallu credu'r peth. Roedd popeth ar ben a doedd dim syniad gyda fi beth i'w wneud nesaf. Ro'n i wastad wedi gorfod newid ar wahân, yn stafell y dyfarnwr neu yn y tŷ bach. Felly ro'n i'n gwybod bod y dydd yma'n mynd i ddod rhywbryd. Ond ddim nawr.

'Nes i dorri fy nghalon.

Roedd y tîm yma'n teimlo fel teulu i fi ac roedd clywed bod rhaid stopio chwarae yn brifo. Ddim 'mod i eisiau dangos hynny i neb.

Es i'n ôl i glwb Bargoed sawl gwaith ac roedd Ryan yn dal i ddweud bod y clwb ddim eisiau fy stopio i rhag chwarae. Bydden nhw wedi bod yn hapus i adael i fi gario mlaen tan 'mod i'n 16, neu beth bynnag. Ond dyna oedd y rheolau ar y pryd.

Mae pethau wedi newid erbyn hyn, diolch byth. Ond ar y pryd doedd dim timau merched o gwmpas ar gyfer fy oedran i, heblaw yng Nghaerdydd. Ond doedd hyd yn oed hynny ddim yn opsiwn. Doedd dim llawer o arian gyda Mam a Dad, dim car, a dim gobaith talu am docyn trên i Gaerdydd.

Roedd yna dîm dan 16 yng Nghaerffili, o'r enw Caerphilly Castle, a 'nes i chwarae un gêm iddyn nhw, ond roedd popeth am hynny'n teimlo'n anghywir am ryw reswm.

'Nes i ddweud wrth Dad ar y pryd, "Dyw merched jyst ddim yn cael chwarae pêl-droed."

Ro'n i wedi cael digon.

Digwyddodd yr un peth erbyn i fi gyrraedd Ysgol Cwm Rhymni. Pan o'n i'n cael gwersi Addysg Gorfforol roedd cyfle i chwarae pêl-droed, eto gyda'r bechgyn. 'Nes i chwarae un gêm i dîm yr ysgol, ond roedd rhywun o'r ysgol arall wedi cwyno a dweud bod merched ddim yn cael chwarae.

Felly roedd rhaid stopio.

Eto.

Ond doedd neb yn gallu stopio'r gemau pêl-droed amser chwarae. Y broblem fwyaf oedd y cae. Pan 'nes i ddechrau yng Nghwm Rhymni roedd yr ysgol ar ddau safle – un ym Margoed a'r llall yn Aberbargoed. Ro'n i ar safle Aberbargoed ac roedd yr iard ar slôp enfawr. Roedd pawb yn treulio'r rhan fwyaf o'r amser yn rhedeg i lawr y rhiw ar ôl y bêl!

Erbyn hyn mae yna ysgol newydd gyda chaeau 3G anhygoel, sydd yn amlwg lot gwell.

Newidiodd pethau ym Mlwyddyn 8 ar ôl i Mr Tony Wilding ddechrau tîm merched yn yr ysgol. Dwi'n credu bydda i'n diolch iddo am byth. Rydyn ni'n dal yn ffrindiau nawr ac mae e'n dod i wylio bob tro dwi'n chwarae i Gymru.

Er bod cael tîm merched yn grêt, doedd dim cyfle i chwarae yn erbyn neb arall, dim ond ymarfer yn yr ysgol. Felly doedd dim llawer o gyfle i ddatblygu, ac yn bendant doedd dim cyfle i gael fy newis i Gymru eto. 'Nes i ddechrau canolbwyntio ar chwarae campau eraill – hoci, athletau, pêl-rwyd, unrhyw beth i gadw'n brysur. Ro'n i'n ddigon da i chwarae hoci i Dde Cymru a phêl-rwyd i dîm Morgannwg. Mae 'da fi hefyd dair fest Cymru mewn athletau, taflu gwaywffon, pentathlon a'r naid driphlyg.

Roedd dyddiau ysgol yn hapus ac er bod rhai athrawon efallai yn anghytuno, do'n i ddim yn ddrwg. Mae'n well 'da fi ddweud *cheeky*!

Erbyn hyn dwi'n sylwi mai'r unig beth oedd yn fy nenu i i'r ysgol oedd yr addysg gorfforol. Roedd y clybiau ar ôl ysgol yn grêt, a'r gemau pêl-droed amser cinio yn fy ngwneud i'n hapus. Ro'n i wastad yn mynd â phâr o dreinyrs gyda fi i'r ysgol, er mwyn chwarae pêl-droed. Fi oedd yr unig ferch fel arfer, ond doedd y bechgyn ddim yn cwyno. Roedd hyn yn hollol normal i fi. Ro'n i wedi chwarae gyda'r bechgyn am flynyddoedd.

Er 'mod i'n cefnogi tîm Man Utd ro'n i hefyd yn hoffi gwylio Caerdydd yn chwarae. Roedd Bamps yn mynd yn rheolaidd ac mae ganddo docyn tymor ers blynyddoedd. Bamps a brawd Mam oedd yn mynd fel arfer, ond 'nes i ddechrau mynd hefyd.

Un o'r gemau dwi'n cofio fwyaf yw'r gêm yn erbyn Leeds yng Nghwpan Lloegr yn 2002. Roedd Leeds ar frig Uwch-gynghrair Lloegr ac roedd pawb eisiau tocyn ar gyfer y gêm. Y broblem oedd bod Bamps wedi methu cael tocynnau yn yr eisteddle ar gyfer y teulu. Felly roedd rhaid i ni sefyll ar y Bob Bank.

Mae meysydd pêl-droed wedi newid llawer erbyn hyn ac yn llawer mwy cyfforddus. Roedd hen stadiwm Caerdydd, Parc Ninian, yn stadiwm hen ffasiwn. Roedd y lle braidd yn ryff bryd hynny ond roedd yr awyrgylch yn gallu bod yn wych.

Roedd y Bob Bank, neu'r Popular Bank i roi'r enw swyddogol, yn mynd yr holl ffordd i lawr un ochr i'r cae, gyda seddi yn y cefn a phawb yn sefyll yn y blaen.

A dyna ble ro'n i a fy nghyfnither yn sefyll yn un o'r gemau mwyaf yn hanes Caerdydd. Ac roedd hi'n hollol boncyrs yno! Mae gemau Caerdydd a Leeds yn danllyd ta beth ond roedd hyn ar lefel arall. Aeth Leeds ar y blaen yn gynnar cyn i Gaerdydd sgorio gyda chic rydd wych Graham Kavanagh. A chyn hanner amser roedd Leeds lawr i ddeg dyn ar ôl i Alan Smith gael carden goch.

Roedd bod ar y Bob Bank yn anhygoel. Mae'r cefnogwyr ar y teras i gyd yn symud gyda'i gilydd, fel conga can milltir yr awr. Pawb yn dilyn pob cic a phob ergyd.

Ac wedyn, gyda thair munud i fynd, sgoriodd Caerdydd eto.

Dwi'n dal i gofio Scott Young yn taro ar ôl cic gornel, cyn rhedeg draw at y Bob Bank. Roedd pawb yn neidio bob man a neb yn gwybod beth i'w wneud heblaw mynd yn wallgof. Roedd y cefnogwyr i gyd yn mynd yn nyts a hyd yn oed Sam Hammam, y Cadeirydd, yn cerdded ar hyd ochr y cae yn dathlu gyda phawb. Ac roedd y dathlu ar y diwedd hyd yn oed yn fwy nyts.

Nid dyna'r tro cyntaf i fi wylio Caerdydd. Digwyddodd hynny pan o'n i tua wyth oed, diolch i fy sgiliau pêl-droed. A hefyd diolch i'r ffaith bod Mam eisiau 'nghael i allan o'r tŷ unwaith eto!

Roedd gwyliau'r haf wedi dechrau, ac fel arfer ro'n i'n mynd ar nerfau pawb achos 'mod i'n bôrd. Ro'n i wedi gweld hysbyseb ar gyfer un o gyrsiau hyfforddi Caerdydd. Soccer Schools yw'r term am y cyrsiau yma ond maen nhw lot gwell nag ysgol go iawn!

'Nes i nagio Mam am wythnosau yn gofyn am gael mynd.

"Mam, Mam, Mam, plis, plis, plis!"

Ac er ei fod e'n costio £15 daeth hi o hyd i'r arian o rywle – jyst er mwyn cau fy ngheg i!

Roedd y cwrs dau ddiwrnod yn Rhisga, ger Casnewydd. Roedd Bamps yn fy ngyrru i i lawr yn y bore, ro'n i'n chwarae pêl-droed tan bedwar ac wedyn mynd adref. Paradwys.

Roedd tua phum deg o blant eraill yno ac, eto, fi oedd yr unig ferch. Ar ddiwedd y ddau ddiwrnod 'nes i ennill gwobr y chwaraewr gorau. Ges i gwpan bach plastig oedd yn teimlo fel Cwpan y Byd i fi. Ro'n i'n caru'r cwpan yna! A 'nes i hefyd gael dau docyn i weld gêm Caerdydd yn anrheg.

Dad oedd gyda fi y tro cyntaf yna, ac roedd hi'n rili neis cael mynd i Barc Ninian gyda fe.

Yr ail gêm i fi ei gweld oedd Aston Villa yn erbyn Coventry. Ddim y dewis amlwg ond roedd y tîm dan 11 wedi casglu ychydig o arian er mwyn i ni i gyd fynd ar drip i Barc Villa.

Roedd mynd i'r stadiwm enwog yma yn gymaint o *buzz*. Dyma un o'r meysydd hynaf yn y wlad ac mae'r lle'n sbesial iawn. Ond doedd neb wedi sylwi wrth drefnu'r tocynnau bod ein seddi ni reit drws nesaf i'r cefnogwyr oddi cartref. Dyw hyn ddim yn broblem fel arfer ond mae Villa yn erbyn Coventry yn dipyn o gêm ddarbi. Mae Villa wedi ei leoli yn Birmingham ac ugain milltir yn unig sydd rhwng y ddinas a Coventry. Roedd hi bach yn *lively* rhwng y ddau grŵp o gefnogwyr! Lot o weiddi a dadlau, a doedd y ffaith 'mod i'n gwisgo crys Aston Villa ddim yn helpu'r sefyllfa.

Ond roedd y gêm mor gyffrous, a'r awyrgylch yn ffantastig. Ar ôl hynny ro'n i'n hollol *hooked*. Os nad o'n i'n chwarae pêl-droed ro'n i eisiau gwylio pêl-droed.

Ro'n i'n mynd i Barc Ninian bob cyfle posib – fi a Bamp a 'nghyfnither i fel arfer. Mae'r bechgyn yn y teulu hefyd yn hoffi pêl-droed, felly roedd digon o gwmni.

Yr un drefn oedd bob tro. Dal y trên ym Mhengam neu Ystrad Mynach yr holl ffordd i Gaerdydd. Erbyn i ni gyrraedd yr orsaf roedd pawb fel sardîns ar y trên ond roedd yr holl beth mor gyffrous. Pawb yn siarad ar draws ei gilydd, pawb yn trafod a dadlau. Beth oedd y tîm? Pwy ddylai fod yn chwarae? Pwy na ddylai fod yn chwarae? Roedd wastad *buzz* o gwmpas y lle.

Graham Kavanagh oedd un o fy hoff chwaraewyr. Fe oedd y capten – roedd e'n chwarae yng nghanol y cae a dyna fy safle i ar y pryd hefyd. Roedd Kavanagh o Iwerddon ac yn gallu sgorio ciciau rhydd anhygoel. Roedd e'n arweinydd.

Ffefryn arall oedd Andy Legg. Un rheswm am hynny oedd achos ei fod e'n Gymro a'r rheswm arall oedd bod gyda fe dafliad rili hir. Mor syml â hynny!

Roedd gwylio yn grêt ond doedd hyn yn dal ddim yr un peth â chwarae. Tîm yr ysgol oedd yr unig gyfle i chwarae yn iawn, ond achos eu bod nhw ddim yn chwarae yn erbyn timau eraill do'n i ddim yn cael cyfle gyda Chymru o gwbl. Ers chwarae yn y gystadleuaeth yn Aberystwyth doedd dim byd wedi digwydd. Roedd e fel petawn i wedi diflannu'n llwyr.

Roedd rhaid i fi wneud rhyw fath o ymarfer corff er mwyn cadw'n brysur. Daeth athletau yn fwy pwysig, diolch i'r hyfforddwr Colin Daley. Roedd e'n poeni amdana i achos roedd e'n meddwl y byddwn i'n cymryd y llwybr anghywir. Mae Colin wedi marw erbyn hyn, yn anffodus. Roedd yn ddyn arbennig, caredig dros ben, a wastad yn barod i helpu pawb. Mae miloedd o blant yn ne Cymru wedi cael cyfle yn y byd athletau, diolch iddo fe.

Fel 'nes i ddweud, do'n i ddim yn ddrwg yn yr ysgol ond mi o'n i'n *cheeky*. Tu allan i'r ysgol ro'n i'n ddrwg ac yn *cheeky*. Ddim y cyfuniad gorau.

Mae lot o'r criw ro'n i'n ffrindiau gyda nhw wedi bod yn y carchar neu'n stryglo heb swydd. Dwi'n teimlo'n lwcus. Ac mae hyn yn mynd yn ôl i'r hyfforddwyr a'r athrawon sydd wedi edrych ar fy ôl i. Yn enwedig Mr Wilding. Fe oedd yr un oedd yn gwneud yn siŵr 'mod i'n mynd i'r clybiau ar ôl ysgol, i 'nghadw i'n brysur. Heb athro mor bwysig dwi ddim yn siŵr beth fyddai wedi digwydd i fi.

Ond dwi'n berson penderfynol iawn ac yn credu'n gryf y bydden i wedi gwneud yn ocê mewn camp arall, tasen i ddim wedi chwarae pêl-droed. Mae hi'n bwysig gweithio'n galed a gallai athletau yn hawdd fod wedi bod yn rhan enfawr o fy mywyd.

Cyn i fi ganolbwyntio ar bêl-droed roedd rhywbeth mlaen bob dydd a nos – pêl-rwyd, athletau, hoci, unrhyw beth – ro'n i'n brysur bob dydd. 24/7. Ac roedd hyn i gyd yn digwydd yn yr ysgol. Diolch byth am Ysgol Cwm Rhymni.

Mae'r ysgol wedi datblygu plant sy'n llawn talentau, ac un o'r enwau mwyaf yw Aaron Ramsey. Roedd e ddwy flynedd yn iau na fi ond ro'n i'n chwarae pêl-droed yn ei erbyn. Rydyn ni'n dal i gael *chats* os ydyn ni'n aros yn yr un gwesty cyn gemau Cymru – er bod hotels y dynion fel arfer yn lot mwy posh na rhai'r merched!

Yn ogystal â Mr Wilding roedd yna athrawon eraill oedd yn ddylanwad mawr arna i. Roedd Mrs Helen John yn bach o *dictator* ond roedd hi'n grêt i fi, ac yn llwyddo i gadw trefn arna i! Un arall oedd Miss Rebecca Webb, Mrs Lewis erbyn hyn. Pêl-rwyd oedd ei gêm hi ac roedd hi'n chwaraewraig wych. Roedd hi wedi dod o Met Caerdydd ac yn gwybod yn union beth oedd angen ei wneud er mwyn llwyddo.

Ac wrth gwrs, Mr Jeremy Evans. Mae pawb yn cofio Mr Evans, hyd yn oed Aaron Ramsey. Fe oedd yr athro ymarfer corff ac roedd e'n gwisgo siorts a welis ym mhob tywydd. Do'ch chi'n bendant ddim eisiau bod yn ei *bad books*. Ond os oedd Mr Evans yn canmol, yna mae'n rhaid eich bod chi'n gwneud rhywbeth yn ocê.

'Nes i'n dda yn fy arholiadau TGAU, er bod pawb yn disgwyl i fi fethu. Ond dwi mor benderfynol a wastad eisiau profi pawb yn anghywir. Roedd y freuddwyd o chwarae pêl-droed wedi diflannu, felly roedd rhaid i fi edrych am rywbeth arall. Dyna sut ro'n i'n meddwl ar y pryd.

'Nes i weithio'n rili galed a phasio pob arholiad. Y pynciau oedd Addysg Gorfforol (yn amlwg), Addysg Grefyddol (ddim mor amlwg), Hanes, Daearyddiaeth, Mathemateg a Gwyddoniaeth – A serennog, dwy B a saith C. *Not bad*! 'Nes i aros yn Ysgol Cwm Rhymni a mynd ymlaen i'r Chweched Dosbarth.

Un rheswm 'nes i aros yn yr ysgol yn lle mynd i'r coleg yw'r athrawon. Do'n i ddim eisiau gadael y bobl oedd wedi bod mor dda gyda fi. Do'n i ddim eisiau troi fy nghefn arnyn nhw rhag ofn bydden nhw fy angen i am ryw reswm. Mae hi'n hawdd edrych yn ôl ond efallai y dylen i fod wedi mynd i goleg. Ond do'n i ddim yn barod.

Roedd y cyfnod yma'n un anodd i fi. 'Nes i stopio mynd allan gyda fy ffrindiau achos do'n i ddim eisiau'r un pethau â nhw mewn bywyd. Er ein bod ni i gyd yn dal i siarad, do'n ni ddim yn gwneud llawer gyda'n gilydd y tu allan i'r ysgol. Ro'n i'n bach o *recluse* erbyn hyn. Chwaraeon oedd yr unig beth oedd yn fy nghadw i'n hapus.

Ar ôl blynyddoedd anodd yn methu chwarae llawer o bêl-droed roedd yr holl beth ar fin newid.

Weithiau chi'n teimlo bod rhywbeth i fod i ddigwydd, fel petai ffawd yn chwarae rhan mewn pethau. Roedd hynny'n bendant yn digwydd cyn i fi fynd i chwarae i Gaerdydd.

Cofiwch, do'n i ddim wedi chwarae i Gymru ers pedair blynedd erbyn hyn. Ond un diwrnod roedd yna wyneb cyfarwydd iawn yn yr ysgol. Do'n i ddim wedi gweld Gwennan Harries ers y cyfnod gyda Chymru, pan o'n ni'n rhannu ystafell yn Aberystwyth gyda'n gilydd. Ond dyma hi, yn sefyll o mlaen. Neu rywun oedd yn edrych yn union fel hi, o leiaf!

Ar ôl dweud wrth fy ffrindiau ei bod hi'n edrych yn gyfarwydd 'nes i fynd yn syth ati a holi,

"Ife ti yw Gwennan Harries?"

"Na, ond fi yw ei chwaer hi, Siân."

Roedd hyn yn *spooky*. Mae Siân a Gwennan yn edrych mor debyg, doedd e ddim yn sioc 'mod i wedi drysu. Roedd Siân yn fyfyrwraig ar y pryd ac wedi dod i'r ysgol ar gwrs ymarfer dysgu am bedwar mis. Ar ôl i fi gyflwyno fy hunan roedd hi'n fy nabod i'n syth, achos bod Gwennan wedi bod yn siarad amdana i ers y daith gyntaf yn Aberystwyth.

"Mae Gwennan wastad yn siarad amdanat ti. Wastad yn siarad am y ferch yma o'r enw Tash, oedd byth yn stopio siarad!"

Roedd Gwennan yn dawel iawn pan oedd hi'n ifanc ond mae hi'n gweithio llawer ar y teledu a'r radio erbyn hyn ac yn siarad yn wych am bêl-droed. Mae hen ddigon gyda hi i'w ddweud nawr!

I dorri stori hir yn fyr, aeth Siân yn ôl at Gwennan a dweud ei bod hi wedi cwrdd â fi. A dyma Gwennan yn dweud bod angen i fi ddod lawr i Gaerdydd am dreial. Roedd hi wedi dechrau chwarae i dîm y merched yno ac roedd hi'n gwybod 'mod i'n ddigon da.

Felly, wnaeth Mam fy ngyrru i i lawr i Gaerdydd, i Erddi Soffia ym Mhontcanna. Roedd Gwennan wedi trefnu treial bach answyddogol i fi, ac mae'r gweddill yn hanes.

Dwi wastad yn dweud, tasen i ddim wedi cwrdd â Siân Harries fydden i ddim wedi cyrraedd Caerdydd. Ac wedyn pwy a ŵyr beth fydden i wedi'i wneud?

Mae'n rhaid bod y treial bach cyntaf yna wedi mynd yn ocê achos wnaeth y clwb fy ngwahodd i i ymarfer gyda'r tîm am bythefnos. Ac ar y diwedd dyma nhw'n dweud y geiriau hollbwysig:

"Wyt ti eisiau arwyddo i ni?"

O'r diwedd. Roedd gyda fi gyfle i chwarae i dîm unwaith eto. Ond cyn i fi ateb yn iawn dyma nhw hefyd yn dweud:

"Os ti eisiau arwyddo mae'n rhaid i ti dalu £50."

Ro'n i'n meddwl mai nhw fyddai'n fy nhalu i! Ac roedd gwaeth i ddod. Roedd angen talu £120 i brynu cit!

Roedd arian gyda fi ar ôl gweithio dros yr haf, felly doedd talu ddim yn broblem, er bod £170 yn ffortiwn ar y pryd. Ond ar ôl yr holl amser heb dîm ac wedyn dim ond cael chwarae i'r ysgol, roedd hyn yn mynd i fod yn werth pob ceiniog.

Roedd y rhan fwyaf o'r merched yng Nghaerdydd yn chwarae i Gymru ac maen nhw'n enwau cyfarwydd bellach – Jess Fishlock, Gwennan Harries, Loren Dykes, Charlotte Miller a Sophie Ingle. Sophie yw capten Cymru erbyn hyn ac mae hi'n chwarae i Chelsea, un o'r clybiau mwyaf yn y wlad. Ond roedd pethau'n wahanol iawn ar y dechrau.

Roedd Sophie a fi yn yr ail dîm am y tymor cyntaf ac un rheswm am hynny oedd ein hagwedd ni. Ro'n i'n gwybod 'mod i'n ddigon da i chwarae i'r tîm cyntaf a do'n i ddim yn ofni dweud hynny.

"Fi'n well na'r rhain. Dyw rhai ohonyn nhw ddim yn gallu chwarae pêl-droed."

Efallai fod hyn yn swnio fel tasen i'n lot rhy hyderus ond fel hyn mae bechgyn yn siarad. Ac ar ôl blynyddoedd o chwarae gyda bechgyn yn unig, fel yna ro'n i'n siarad hefyd. Ond dwyt ti ddim yn gallu gwneud hyn gyda merched, mae angen siarad yn wahanol. Roedd pawb yn fy ngalw i'n Class Clown ac yn cwyno 'mod i'n chwarae o gwmpas o hyd. Roedd Sophie'n cael yr un broblem hefyd. Ond mae'r ddwy ohonon ni wedi profi pawb yn anghywir erbyn hyn.

Ac ail dîm neu beidio, roedd *buzz* am gael chwarae i Gaerdydd.

'Nes i gael car newydd pan o'n i'n un deg saith oed ac roedd Dad wedi rhoi CCLFC (Cardiff City Ladies Football Club) ar waelod y *number plate*. Roedd e'n dweud bod angen i fi fod yn falch o'r ffaith 'mod i'n chwarae i Gaerdydd. Ac yn amlwg, roedd e'n falch hefyd.

4

America ac Ewrop

DO'N I BYTH WEDI meddwl bod modd gwneud bywoliaeth yn y byd pêl-droed. Wel, ddim yng Nghymru, ta beth. Ond roedd yna gynghrair broffesiynol draw yn America. Erbyn diwedd y tymor cyntaf ro'n i wedi cyrraedd tîm cyntaf Caerdydd, o'r diwedd. Ac ro'n i'n meddwl lot am fynd i America.

Y ffordd orau i wneud hynny yw trwy ennill ysgoloriaeth. Mae chwaraeon yn enfawr yng ngholegau America ac mae yna bob math o ysgoloriaethau ar gael. Roedd pêl-droed merched yn tyfu mor gyflym fel ei bod yn gyfle da i fynd yno. Mae'r holl system yn gystadleuol iawn ac mae plant yn America yn dechrau'r broses pan maen nhw tua 14 oed. Does dim rhaid i chi wneud hynny os ydych chi'n dod o wlad arall, ond mae'n dal yn anodd.

Mae modd gwneud y gwaith eich hunan a chysylltu gyda'r prifysgolion er mwyn dangos diddordeb, a hefyd ddangos eich bod chi'n ddigon da ym mha bynnag chwaraeon rydych chi'n eu gwneud. Ond mae yna gwmnïau sydd yn helpu gyda'r gwaith, os ydych chi'n gallu talu wrth gwrs. 'Nes i a Mam a Dad gwrdd ag asiant o un cwmni i drafod y cyfan a chytuno i dalu £1,000 – ffortiwn i ni fel teulu.

Er 'mod i'n ddigon da o ran safon y pêl-droed, roedd angen pasio arholiadau hefyd cyn cael fy nerbyn. Dwi'n cofio mynd i Goleg yr Iwerydd ym Mro Morgannwg ar gyfer yr arholiadau. Ysgol breifat yw'r coleg yma ar safle hen gastell. Roedd e'n llawn myfyrwyr o bob rhan o'r byd a dyma oedd y lle mwyaf posh ro'n i wedi'i weld erioed. Ro'n i'n meddwl bod pob un arall oedd yn sefyll yr arholiad yn edrych fel *genius*. A dyna fi yn eu canol nhw, jyst eisiau chwarae pêl-droed!

Y gobaith oedd cael lle ym Mhrifysgol Gogledd Carolina, UNC, un o'r colegau gorau yn y wlad, yn enwedig o ran chwaraeon.

A dyna ddigwyddodd. 'Nes i basio'r

arholiadau a chael fy nerbyn, ac roedd y cynnig yn anhygoel – ysgoloriaeth lawn am bedair blynedd oedd yn golygu nad oedd rhaid talu am le i fyw, na hyd yn oed bwyd. Roedd yna drefniadau i fi ddechrau hyfforddi hefyd er mwyn ennill mwy o arian. Roedd hyd yn oed noddwr ar gyfer fy esgidiau!

Ond 'nes i benderfynu gwrthod y cyfan.

Ro'n i mewn perthynas gyda merch arall o dîm Caerdydd ar y pryd a wnaeth hi ddweud wrtha i am beidio mynd. Mae hi'n hawdd gwneud y penderfyniad anghywir pan ydych chi'n un deg wyth oed. Roedd Mam a Dad yn ypsét iawn. Yn amlwg achos eu bod nhw wedi talu £1,000 ond hefyd achos eu bod nhw'n gweld 'mod i'n colli cyfle enfawr. Ro'n nhw'n methu credu 'mod i'n gadael i rywun arall chwalu'r freuddwyd.

Ond mae pawb yn gwneud pethau stiwpid pan maen nhw'n ifanc. Mae hi'n hawdd cael eich dylanwadu. Ar ôl gweithio mor galed i gyrraedd Caerdydd a chael cyfle i fynd i America, roedd hyn yn ergyd arall i fi. Ond y tro 'ma, fi oedd wedi sbwylio pethau.

Roedd hyn i gyd wedi digwydd ar ddiwedd y tymor cyntaf gyda Chaerdydd, felly 'nes i fynd yn ôl at y clwb a chanolbwyntio ar chwarae iddyn nhw. A cheisio anghofio am America.

Ac o fewn dim roedd pethau'n dechrau gwella. Daeth llythyr i'r tŷ yn dweud 'mod i wedi cael fy newis ar gyfer carfan Cymru dan 19. Mam oedd wedi agor y llythyr achos roedd e'n dweud 'Cymru' ar yr amlen. Roedd hi mor hapus. A fi hefyd wrth gwrs! Do'n i ddim wedi bod gyda charfan Cymru ers y gystadleuaeth yna yn Aberystwyth bron chwe blynedd ynghynt.

Roedd y garfan yn mynd i chwarae yn Azerbaijan mewn grŵp rhagbrofol ar gyfer Pencampwriaeth Ewrop. Doedd 'da fi ddim syniad ble oedd y wlad ond do'n i ddim yn poeni am hynny.

Mae fformat y grwpiau yma'n golygu bod y gemau i gyd yn cael eu chwarae mewn un wlad dros gyfnod o un wythnos. Yn ogystal â Chymru ac Azerbaijan roedd yr Almaen a'r Weriniaeth Tsiec hefyd yn y grŵp.

Wna i byth anghofio'r sesiwn ymarfer cyntaf. Unwaith eto, roedd Mam wedi mynd â fi i Erddi Soffia ac o leiaf roedd rhai o ferched eraill Caerdydd yna. Pob un ohonon ni'n gwisgo dillad Caerdydd achos do'n ni ddim yn gwybod beth oedd y drefn.

Andy Beattie oedd y rheolwr ar y pryd a wnaeth e ddweud yr un peth ag y mae lot o hyfforddwyr eraill wedi'i ddweud wrtha i:

"Ti'n rili *cocky*, ond ti'n rili dda hefyd. Dwi'n methu dy anwybyddu di."

Andy oedd rheolwr prif dîm merched Cymru hefyd, felly roedd hi'n bwysig gwneud yn dda pan oedd e o gwmpas.

Fel 'nes i ddweud, doedd gyda fi ddim syniad am Azerbaijan. Felly ges i sioc o weld bod y wlad mor bell, bron 3,000 o filltiroedd i ffwrdd. Ges i hefyd sioc o edrych ar y map a gweld bod y wlad drws nesaf i Iran! Roedd y daith ar yr awyren tua chwech awr o hyd ac roedd y cyfan fel mynd yn ôl mewn amser.

Mae Azerbaijan wedi newid llawer erbyn hyn ond roedd y lle yn wahanol iawn yn 2008. Mae'r ardal wastad wedi bod yn enwog am olew, felly roedd lot o arian yno ond roedd y lle yn dlawd iawn hefyd.

Mae'r brifddinas, Baku, erbyn hyn, yn debyg i ddinasoedd y gorllewin. Ond roedd ein gemau ni mewn dinas arall ac roedd y lle hwnnw'n wahanol iawn. Dwi'n cofio cerdded allan o'r gwesty ar y bore cyntaf a gweld dyn gyda chart a cheffyl yn pasio ar y ffordd. Roedd hi'n boeth iawn yna hefyd, sydd yn bendant yn wahanol i Gymru!

Roedd y gêm gyntaf yn erbyn y Weriniaeth Tsiec yn agos iawn ac roedd pawb yn siomedig i golli o 2 gôl i 1. Roedd y tîm wedi chwarae'n dda, ond fel'na mae hi'n mynd weithiau.

Yr Almaen oedd nesaf, un o'r gwledydd gorau yn y byd yng ngêm y merched a'r dynion. Mae llawer o'r tîm yna wedi mynd ymlaen i ennill dros gant o gapiau i'r tîm cyntaf. Ac mae un o'r merched, Dzsenifer Marozsán, erbyn hyn yn un o enwau mwyaf y gêm. Hi yw capten yr Almaen ac mae hi wedi ennill Pencampwriaeth Ewrop a Chynghrair y Pencampwyr. Hi hefyd sgoriodd y gôl i ennill y gystadleuaeth bêl-droed yng Ngemau Olympaidd 2016, y tro cyntaf i'r Almaen ennill y fedal aur.

Roedd y rheolwr, Andy Beattie, eisiau i fi chwarae yn yr amddiffyn fel cefnwr de. Nid dyma fy safle fel arfer ond esboniad y bòs oedd,

"I want you at right back because you're like shit off a shovel!"

Os dydych chi ddim yn gyfarwydd â'r dywediad bach yma, mae'n ffordd arall o ddweud bod chwaraewr yn gyflym. 'Nes i ddim cwyno achos ro'n i jyst eisiau chwarae i Gymru.

Doedd chwarae yn yr amddiffyn ddim wedi helpu, gan i ni golli o 5 gôl i 0. Ond doedd e ddim yn sioc chwaith, achos bod yr Almaen mor dda.

Roedd y gêm olaf lot gwell, achos enillodd y tîm yn erbyn Azerbaijan o 3 gôl i 0 a 'nes i sgorio dwy. Dwi'n chwarae lot gwell yn yr ymosod nag yn yr amddiffyn, mae'n amlwg!

Dyma oedd y tro olaf i fi chwarae i'r tîm dan 19 ond am unwaith doedd hyn ddim achos bod rhywbeth gwael wedi digwydd, ond achos 'mod i wedi cael lle yn y tîm cyntaf. Doedd hyn ddim yn hir ar ôl i fi droi'n 18. Daeth llythyr arall i'r tŷ ond y tro yma yn dweud 'mod i yn y brif garfan ar gyfer gemau yn erbyn y Swistir a'r Almaen. Anrheg pen-blwydd perffaith!

Roedd Andy Beattie wedi gorffen rheoli'r

tîm erbyn hynny ac roedd Adrian Tucker wedi cymryd ei le. Tucks oedd hyfforddwr y golwyr i ddechrau ond roedd e bellach yng ngofal y tîm.

Mae pethau wedi newid gymaint i'r merched dros y flwyddyn ddiwethaf, heb sôn am dros y deng mlynedd diwethaf. Roedd y tîm yn colli bron pob gêm a dim ond un gôl roedden nhw wedi'i sgorio yn y grŵp rhagbrofol ar gyfer Pencampwriaeth Ewrop. Dwy gêm oedd ar ôl, felly doedd dim gobaith mynd drwodd, ond doedd dim pwysau chwaith.

Roedd y gêm yn y Swistir yn cael ei chwarae yn Oberdorf – tref fach iawn yng ngogledd y wlad. Dim ond tua 1,500 o bobl oedd yn byw yno ond, rywsut, roedd mwy na hynny yn gwylio'r gêm!

Roedd y gêm yn cael ei chwarae ar gae 3G hefyd, ac er bod caeau artiffisial ym mhobman erbyn hyn do'n i erioed wedi gweld un o'r blaen. Ro'n i'n gwybod mai eilydd fydden i ac am unwaith 'nes i ddim cwyno, achos ro'n i mor hapus i fod gyda'r tîm cyntaf. Wna i byth anghofio cael y crys am y tro cyntaf – crys melyn llachar gyda rhif 17 ar y cefn.

Chwaraeodd y merched yn rili dda, er bod lot o chwaraewyr ar goll. Ond roedd y Swistir ar y blaen o 2 i 0. Gyda phum munud ar ôl dyma fi'n cael yr arwydd gan y rheolwr i fynd mlaen i'r cae.

Dwi'n cofio Tucks yn dweud,

"Come on. No fear. Do whatever you have to do."

Er bod dim lot o amser ar ôl yn y gêm 'nes i fwynhau pob eiliad. A hefyd gael cyfle i sgorio.

Ro'n i'n meddwl, "Dyma ni. Dyma fy nghyfle."

'Nes i ddim cael y gôl ond roedd y cap cyntaf yn ddigon o wobr.

Roedd y gêm yn erbyn yr Almaen cyn diwedd y mis. Nhw oedd pencampwyr y byd a phencampwyr Ewrop ar y pryd. Ac fel dwi wedi dweud o'r blaen, maen nhw'n dîm anhygoel. Roedd y gêm mewn dinas o'r enw Kassel, lle hollol hyfryd. A'r sioc fwyaf oedd bod dros 16,000 yn ein gwylio ni!

Y tro yma ro'n i wedi dechrau ar yr asgell, crys rhif 11 – dwi'n eu cofio nhw i gyd. Roedd y gêm yn rili anodd a sgoriodd yr Almaen dair gôl yn yr hanner awr cyntaf. Dwi'n cofio meddwl,

"O-o! Ni mewn trwbwl fan hyn."

Ond setlodd y merched yn wych ar ôl hynny a chadw pethau'n lot mwy tyn. Mae hi'n anodd chwarae yn erbyn y timau gorau, mae'n amlwg, ond rydych chi'n dysgu gymaint. A gwella gymaint hefyd.

Dwi'n cofio bomio i lawr yr asgell ac ennill cic gornel a dechrau dathlu fel tasen i wedi sgorio gôl!

4–0 oedd y sgôr yn y diwedd. Pan gefais i fy eilyddio yn agos i'r diwedd 'nes i adael y cae yn clapio pawb, *giving it large* i'r holl stadiwm. Roedd cefnogwyr yr Almaen yn caru ni! Ac ro'n i'n caru chwarae i Gymru.

Ar ôl yr holl siom dros y blynyddoedd, yn sydyn ro'n i'n teimlo bod pethau'n dechrau newid. Ro'n i eisiau mwy o hyn. Lot mwy.

Mae hi'n od edrych yn ôl a sylweddoli bod dim nerfau o gwbl gyda fi yn y gemau cynnar yna. Ro'n i'n ifanc ac yn hollol hyderus, yn poeni dim. Jyst mwynhau pob eiliad. Erbyn hyn fi yw'r un brofiadol ac mae yna lot mwy o nerfau. Mae bod yn *kid* bach newydd yn y tîm yn hawdd.

Mae hyn yr un peth gyda'r dynion. Ar un adeg Gareth Bale ac Aaron Ramsey oedd y chwaraewyr ifanc, newydd. Dim pwysau, dim problem. Ond erbyn hyn mae pawb yn disgwyl iddyn nhw berfformio ac mae yna bwysau gwahanol iawn oherwydd hynny.

Rydych chi'n gweld chwaraewyr ifanc fel David Brooks yn torri i mewn i'r tîm ac yn chwarae gyda rhyddid. Does dim byd yn eu poeni nhw, maen nhw'n gallu jyst mynd amdani. Mae'n grêt eu gwylio nhw. Ond mae pwysau ar bawb yn y pen draw. Y tric wedyn yw gwybod sut mae ymateb i hynny heb iddo sbwylio'ch gêm.

Dwi'n cofio'r gêm yma am un rheswm arall hefyd. Dyma oedd y tro cyntaf i fi fod bant gyda thîm Cymru ers cael fy mhen-blwydd yn un deg wyth. Ro'n i'n dal yn un deg saith yn y camp cyntaf, felly roedd rhaid i fi fynd i'r gwely yn gynnar. Ond roedd hi'n wahanol y tro yma.

Ar ôl y gêm roedd pawb yn y bar yn y gwesty yn yfed 'steins'. Mae'r gwydrau'n dipyn mwy o faint yn yr Almaen a dyna lle ro'n i'n ceisio yfed gymaint â'r merched hŷn.

Y cam nesaf oedd mentro allan i'r dref a chwilio am far Gwyddelig. Dyw pethau byth yn dawel pan mae merched Cymru yn chwilio am Irish Bar! Roedd pawb yn canu karaoke a'r diodydd yn llifo i lawr.

Er ei bod hi'n noson wych roedd y bore wedyn yn boenus iawn. Roedd y bws yn gadael y gwesty yn gynnar er mwyn cyrraedd y maes awyr. Jess Fishlock oedd un o'r rhai olaf i ddod allan o'r gwesty a doedd hi ddim yn teimlo'n wych. Doedd hi ddim yn edrych yn wych chwaith, i fod yn hollol onest!

Roedd pawb yn edrych arni yn agosáu at y clawdd bach yma oedd y tu allan i'r bws. Nawr, yn ôl Jess, roedd hi'n credu bod mainc yno a dyna pam dechreuodd hi eistedd. Ond doedd dim mainc yn agos, dim ond clawdd. Eisteddodd Jess, cwympo trwy'r clawdd a rowlio i lawr y rhiw yr holl ffordd i'r stryd y tu ôl iddi.

Roedd y bws cyfan yn chwerthin ac rydyn ni'n dal i'w hatgoffa hi o'r stori. Efallai mai dyma pam dyw Jess byth yn hoffi bod yn eilydd. Dyw hi ddim yn gallu eistedd ar y fainc!

Mae hyn hefyd yn dangos gymaint sydd wedi newid o ran y tîm. Er ein bod ni i gyd yn cwrdd am ddiod ar ôl gêm, mae dyddiau'r bariau karaoke wedi hen ddiflannu.

Ond roedd e'n lot o hwyl ar y pryd.

5

Caerdydd eto – a Tsieina

YN ÔL YNG NGHAERDYDD hefyd roedd pethau'n dechrau gwella. Ro'n i yn y tîm cyntaf erbyn hyn ac yn dechrau denu diddordeb clybiau eraill.

Roedd llawer o'r merched o Gymru wedi symud i Fryste ac roedd y clwb yn ceisio fy arwyddo i'n gyson. Ond bob tro roedd Bryste yn cysylltu roedd Caerdydd yn rhoi gwobr fach i fi er mwyn i fi aros. Yn gyntaf ges i fy ngwneud yn is-gapten. Redd hyn yn fraint enfawr ac ro'n i'n teimlo cyfrifoldeb i'r tîm.

Yr ail dro i Fryste gysylltu ges i fy ngwneud yn gapten. Mwy o gyfrifoldeb. 'Nes i adael yn y pen draw ond cyn hynny roedd yna lot o amseroedd gwych.

Roedd y clwb yn ennill Cwpan Cymru trwy'r amser. Pan dwi'n dweud trwy'r amser, dwi'n golygu trwy'r amser! Enillodd Caerdydd y cwpan wyth gwaith yn olynol rhwng 2003 a 2010. 2007 oedd y tro cyntaf i fi godi'r cwpan ac roedd hynny yn erbyn Caernarfon. Nhw oedd un o'r timau gorau yng Nghymru ar y pryd, ac er mai dim ond eilydd o'n i, roedd yn deimlad gwych.

Roedd gwell i ddod y tymor wedyn wrth i ni ennill y rownd derfynol o 9 gôl i 0 yn erbyn Wrecsam. 'Nes i sgorio dwy gôl a chreu cwpwl o goliau hefyd. Roedd y dyddiau yma'n bwysig iawn i fi.

Michelle Adams oedd yng ngofal y tîm ac mae hi'n berson arbennig. Cafodd hi'r MBE yn 2017 oherwydd yr holl waith mae hi wedi ei wneud dros gêm y merched yng Nghymru. Mae hi nawr yn Gadeirydd gyda chlwb Caerdydd ac wedi bod yn gweithio yn y gêm ers dros bedwar deg mlynedd. Enillodd hi 28 cap ac roedd hi'n hyfforddi'r tîm dan 19 am gyfnod hefyd, felly mae hi'n gwybod am beth mae hi'n siarad. Mae cymaint o ferched Cymru wedi dod trwy dîm Caerdydd – cymeriadau fel Jess Fishlock a Sophie Ingle, a fi wrth gwrs! Mae llawer o'r diolch am hynny i Michelle.

Ro'n i wedi dechrau yn y coleg erbyn hyn ac roedd lot fawr o bethau ar fin newid. 'Nes i ddechrau astudio yng ngholeg UWIC yng Nghaerdydd. Met Caerdydd yw enw'r lle erbyn hyn. Ond ro'n i'n dal i fyw gartref gyda Mam a Dad.

Pan o'n i yn y coleg ges i gyfle anhygoel. Roedd tîm merched colegau Prydain yn mynd i chwarae mewn cystadleuaeth fawr yn Tsieina yng Ngemau'r Byd i Brifysgolion.

Roedd angen mynd am dreial eto wrth gwrs. Felly bant â fi, yr holl ffordd i Loughborough. Ac roedd chwaraewyr gwych yno, llawer ohonyn nhw wedi chwarae i'w gwledydd. Mae'n rhaid 'mod i wedi gwneud yn ocê achos ges i fy newis o blith y merched yn adran y de. Roedd angen mynd am dreial arall wedyn yn Newcastle. Stori fy mywyd!

Dyma ni'n mynd eto. Mam a Dad yn gyrru lan yr holl ffordd i Newcastle. Dwi mor lwcus nad oedd rhaid i fi dalu costau petrol am yr holl deithiau yma.

Roedd y treial ar faes ymarfer Newcastle Utd ac roedd y cyfleusterau yno yn hollol wallgof. De yn erbyn Gogledd oedd y gêm ac er bod llawer o'r tîm wedi ei ddewis yn barod, roedd pawb yn dal i boeni eu bod nhw'n mynd i golli eu lle.

Ar ôl y gêm dyma pawb yn aros i glywed pwy oedd wedi cyrraedd y garfan. Roedd yr hyfforddwyr yn darllen yr enwau allan o'r rhestr hir ac roedd y nerfau yn cicio mewn, *big time*. Roedd hyn fel dewis timau ar gyfer gemau yn yr ysgol, a neb eisiau bod yr un bach ar ôl ar y diwedd, heb gael ei ddewis.

Ond o'r diwedd, dyma fi'n clywed fy enw. Bingo! Ond roedd y cyfan bach yn *awkward* i'r rhai oedd ddim wedi eu dewis:

"Diolch am ddod, mae croeso i chi aros neu mae croeso i chi adael hefyd. Mae e lan i chi."

Mae pêl-droed yn gallu bod yn greulon.

Do'n i ddim yn nabod neb yn y garfan, ond trwy lwc dwi'n gallu gwneud ffrindiau yn gyflym. Dwi'n gallu siarad â wal frics os oes rhaid.

Roedd carfan Prydain yn hedfan i Tsieina o Heathrow. Unwaith eto dyma Mam yn fy ngyrru i i'r maes awyr. Ac unwaith eto dyma ni'n mynd ar goll. Sioc! Ro'n i'n hwyr yn cyrraedd ac roedd y cit i gyd yn disgwyl amdana i, wedi ei bacio yn daclus. Ond roedd rhaid i fi symud pethau o fy mag personol i'r bag arall. Roedd popeth dros y lle i gyd, pawb yn gwylio, a fi yn panico. A Mam fel arfer yn gorfod aros gyda fi nes bod popeth yn iawn.

Cyn mynd i Tsieina roedd y garfan yn mynd i ymarfer yn Hong Kong am ddeg diwrnod. Roedd hyn ar lefel arall! Do'n i erioed wedi bod i Hong Kong yn fy mywyd, ac am le gwych! Roedd hi'n ganol haf ac felly yn hollol *boiling* hefyd.

Ar ôl Hong Kong dyma ni'n mynd i Tsieina, i Shenzhen. Mae dros ddeuddeg miliwn o bobl yn byw yn y ddinas. Ychydig bach yn fwy na Bargoed!

Roedd y bobl leol yn ein trin ni fel *mega-stars,* pawb eisiau tynnu lluniau drwy'r amser. Aeth pawb i wylio gêm bêl-fasged, ac roedd rhaid i'r heddlu ein gwarchod wrth i ni adael achos bod gymaint o sylw ar y chwaraewyr. Roedd popeth yn newydd sbon yno. Popeth. Fel petai rhywun wedi adeiladu dinas newydd.

Gorffennodd y tîm yn y nawfed safle yn y diwedd, ond oherwydd fformat y gystadleuaeth ro'n ni wedi chwarae chwe gêm i gyd. Ac roedd un o'r gemau yn erbyn Tsieina.

Am brofiad boncyrs!

Roedd y gêm yn Stadiwm Bao'an – stadiwm sy'n edrych fel yr un enwog yn Beijing, y Bird's Nest. Mae'r lle'n dal 40,000 o gefnogwyr ac wedi ei adeiladu yn arbennig ar gyfer y gystadleuaeth yma. Collon ni o 3 gôl i 2 ond roedd llawer o'u tîm nhw yn chwarae i dîm llawn Tsieina. Sgorion nhw yn y munudau olaf i ennill y gêm ac roedd cymaint o sŵn fel bod fy nghlustiau bron popio!

Dyma oedd un o brofiadau gorau fy mywyd hyd yn hyn a dwi'n dal i fod yn ffrindiau gyda rhai o'r merched yn y garfan.

Roedd Eartha Pond yn un. Aeth hi ymlaen i chwarae i glybiau Arsenal, Chelsea a Spurs. Ac mae hi wedi bod yn amlwg iawn yn ddiweddar oherwydd y tân yn Grenfell. Mae hi'n byw yn ardal y bloc o fflatiau yn Llundain ac wedi gwneud gwaith gwych i geisio helpu'r bobl sydd wedi dioddef. Mae hi wedi codi dros £100,000 ac mae hi'n dal i weithio'n galed i wneud yn siŵr bod help ar gael.

Un arall oedd yno yw Rachel Furness, ac mae'n braf ein bod ni'n dwy nawr gyda'n gilydd yn Reading. Roedd cyfnod prifysgol yn amser cyffrous iawn. Ddim jyst oherwydd y cyfleoedd o ran chwaraeon ond oherwydd y ffrindiau hefyd. Dwi'n dal yn ffrindiau gyda lot o ferched o'r byd pêl-droed wrth gwrs, ond mae'r ffrindiau 'nes i yn y brifysgol yn ffrindiau agos dros ben.

Gadael cartref oedd y cam mawr. Dwi wastad wedi bod yn annibynnol iawn, felly doedd hynny ddim yn broblem, er bod y teulu mor bwysig i fi. Es i fyw yn ardal y Rhath yng Nghaerdydd, ddim yn bell o Albany Road, os ydych chi'n nabod y ddinas. Mae'r ardal yn brysur ac yn fywiog iawn. Mae lot o fyfyrwyr yn setlo yna, yn enwedig y rhai sy'n mynd i UWIC achos dyw e ddim yn rhy bell o'r campws.

Roedd bywyd yn brysur:

Ymarfer yn UWIC ar ddydd Mawrth rhwng 4:30 a 6.

Yna draw i Erddi Soffia i ymarfer gyda Chaerdydd rhwng 7 a 9.

Chwarae ar ddydd Mercher i UWIC, ac wedyn allan am gwpwl o *bevvies*, fel mae pawb yn gwneud!

Ymarfer eto gyda Chaerdydd ar ddydd Iau.

Ymarfer gyda UWIC ddydd Gwener... ac wedyn gêm i Gaerdydd ar y dydd Sul.

A cheisio mynd i'r *gym* hefyd yng nghanol y cyfan.

Dyddiau da a dyddiau prysur hefyd.

Roedd angen arian arna i i fyw, felly ro'n i'n gweithio y tu ôl i'r bar mewn tafarn ac yn hyfforddi plant i lawr yn Gôl – y ganolfan bêl-droed ger Stadiwm Dinas Caerdydd. Roedd hyfforddi yn lot o hwyl. Ac ro'n i'n rili mwynhau gweithio y tu ôl i'r bar achos dwi'n gallu siarad gydag unrhyw un. *Gift of the gab*. Neu jyst yn *gobby*?

Ar y cae roedd pethau wedi bod lan a lawr i Gaerdydd. Roedd y tîm yn chwarae yn yr Uwch-gynghrair ond roedd y WSL newydd ddechrau, sef y Women's Super League. Yn amlwg, roedd llawer o'r merched eisiau chwarae yn y gynghrair newydd, ac achos bod llawer o chwaraewyr wedi gadael, roedd y tîm wedi dioddef. Ro'n ni'n stryglo drwy'r tymor a disgynnodd y tîm yn y diwedd ar ôl colli gêm ola'r tymor.

Fi oedd y capten y tymor wedyn ac er i ni ennill y gynghrair a mynd yn ôl i fyny i'r Uwch-gynghrair, ro'n i'n teimlo ei bod hi'n bryd gadael. Ond roedd yr amser gyda'r clwb wedi bod yn ffantastig.

Achos ein bod ni wedi ennill Cwpan Cymru roedd y tîm yn cael cyfle i chwarae yn Ewrop. Dwi'n cofio mynd i Groatia, Slofacia a Denmarc. Roedd y gemau yma yn yr haf ac roedd hi wastad mor dwym.

Denmarc oedd y profiad gorau yng Nghynghrair y Pencampwyr. Er ein bod ni wedi colli yn erbyn y ffefrynnau, Brondby, llwyddodd y tîm i ennill un gêm o 10 gôl i 1 yn erbyn tîm o Malta. 'Nes i sgorio 5 gôl, a fi oedd prif sgoriwr y brif gystadleuaeth am gyfnod hir y tymor hwnnw. Aeth pawb mewn i ganol Copenhagen gyda'n gilydd ar ôl y gystadleuaeth a gweld y ddinas anhygoel yna.

Profiad gwych arall, diolch i bêl-droed.

6

Bryste

Roedd lot o resymau dros symud i Fryste. Ond yr un mwyaf oedd Mark Sampson. Fe oedd y rheolwr yno ac roedd e'n ddylanwad enfawr arna i. Cymro yw Mark ac aeth ymlaen i reoli tîm merched Lloegr. Gorffennodd pethau'n wael gyda nhw. Collodd ei swydd ar ôl i rai chwaraewyr ei gyhuddo o ymddwyn yn amhriodol. Roedd yna bob math o gyhuddiadau am sylwadau hiliol yn hedfan o gwmpas ar y pryd, ond dyna i gyd dwi'n gallu'i wneud yw siarad o brofiad. Roedd e'n wych gyda fi a 'nes i erioed brofi unrhyw beth drwg gyda fe.

Roedd e wedi trio fy arwyddo i gwpwl o weithiau ond doedd yr amser ddim wedi bod yn iawn. I fod yn onest, ro'n i wedi cwrdd â brawd Mark cyn cwrdd ag e. 'Nes i chwarae gêm elusennol ac roedd brawd Mark, Craig, yn chwarae yno. Roedd e'n meddwl 'mod i wedi chwarae'n dda a wnaeth e gysylltu gyda'i frawd i sôn amdana i.

Roedd hyn yn debyg i'r amser pan 'nes i gwrdd â chwaer Gwennan Harries. Roedd y cysylltiad teuluol yn handi iawn eto.

Roedd gyda Mark ffordd o wneud i chi deimlo fel y chwaraewr gorau yn y byd – fel tase neb yn gallu'ch stopio chi. Roedd e'n creu teimlad sbesial o gwmpas y lle. Dwi wastad yn dweud bod hyn mor bwysig. Edrychwch ar dîm dynion Cymru yn Ewro 2016. Roedd yr ysbryd yn anhygoel. Fyddai neb wedi dweud bod y tîm yna'n mynd i gyrraedd y pedwar olaf. Doedd dim hawl gyda nhw. Ond achos eu bod nhw i gyd gyda'i gilydd roedd unrhyw beth yn bosib.

Roedd Mark wastad yn trial fy helpu i ar y cae, cyn neu ar ôl ymarfer – sesiynau bach unigol, *one to one,* gweithio ar saethu neu basio. Weithiau ro'n i yno oriau cyn bod yr ymarfer hyd yn oed yn dechrau. Ro'n i'n mwynhau shwt gymaint. Bob tro mae e'n siarad amdana i mae e'n fy ngalw i'n *rough diamond* – roedd jyst angen bach o bolish!

Roedd Bryste wedi arwyddo lot o chwaraewyr da cyn i fi gyrraedd, ac roedd lot o Gymry yno – Jess Fishlock, Loren Dykes, ac Angharad James ar fenthyg o Arsenal. Roedd chwaraewyr fel Jemma Rose yn wych yn yr amddiffyn a Siobhan Chamberlain yn y gôl. A daeth Laura del Rio o Sbaen. Roedd hi wedi chwarae ar draws y byd ac yn ymosodwraig a hanner.

Roedd gymaint o Gymry yno, a'r rheolwr hefyd wrth gwrs, fel ein bod ni'n gallu chwarae gemau a rhannu'r timau fel bod Cymru yn chwarae yn erbyn gweddill y byd. Ro'n i'n dweud bod Laura del Rio yn dod o Gymru i wneud yn siŵr ein bod ni'n ennill.

Dyma oedd ail dymor y Women's Super League, ac roedd y tîm wedi gwneud yn dda a gorffen yn bedwerydd. Ond roedd yna rywbeth sbesial yn datblygu.

Roedd e'n newid enfawr i fi. Dyma'r tro cyntaf i fi gael fy nhalu am chwarae. Dim llawer, ond roedd e'n golygu llawer. Roedd yna gefnogwyr yn gwylio'r gemau. Pobl yn gofyn am lofnod – do'n i erioed wedi gwneud hynna o'r blaen. Roedd pobl eisiau tynnu lluniau gyda fi, ac eisiau i fi lofnodi lluniau a phosteri ohona i fy hunan.

Ro'n i'n ugain oed ac yn methu credu

beth oedd yn digwydd. Roedd e bron fel gêm y dynion. Ddim mor fawr, yn amlwg, ond dyma beth ro'n i wedi bod eisiau trwy fy mywyd. 'Nes i sgorio goliau yn y tymor cyntaf yma hefyd, felly ro'n i wedi setlo yn dda.

Ar ddiwedd y tymor roedd Jess Fishlock wedi gadael er mwyn symud i Seattle Reign. Er bod hyn yn siom, dyma'r clwb yn arwyddo Natalia Pablos o Sbaen – chwaraewraig dalentog. Roedd ei record sgorio hi yn boncyrs. Yn ôl Mark Sampson roedd hi'n debyg i Michu, yr ymosodwr o Sbaen oedd wedi symud i Abertawe. Doedd hi ddim yn siarad Saesneg ond doedd hynny ddim yn broblem. Ac roedd Laura del Rio yno hefyd, wrth gwrs.

Fi a Natalia oedd yn yr ymosod, gyda del Rio y tu ôl i ni. Y bartneriaeth berffaith. Roedd popeth yn clicio. Ac roedd gan Mark ffordd o greu ysbryd anhygoel yn y tîm. Roedd e'n dweud wrthon ni am fynd allan gyda'n gilydd. Ddim trwy'r amser, ond digon i wneud yn siŵr ein bod ni'n dod yn agos iawn.

Ac am dymor! Roedd rhai o'r merched

yn chwarae pêl-droed gorau eu bywydau. Ro'n ni'n ennill yn erbyn timau doedd dim hawl gyda ni ennill yn eu herbyn. Ro'n ni'n cystadlu gyda Lerpwl ac Arsenal ar y brig. Mae gyda fi atgofion gwych o'r tymor yna.

Cyrraedd rownd derfynol Cwpan FA Lloegr oedd un uchafbwynt. Er ein bod ni wedi colli yn erbyn Arsenal roedd hi'n ffantastig hyd yn oed cyrraedd yno. Roedd rhai o'r merched yn siomedig ond ro'n i'n trysori'r fedal.

Gyda dwy gêm i fynd 'nes i chwarae yn un o'r gemau mwyaf gwallgof yn fy ngyrfa.

Roedd ein gêm olaf ni yn erbyn Lerpwl, y tîm oedd ar y brig. Ond cyn hynny roedd gêm yn erbyn y tîm ar y gwaelod, Doncaster Belles. Ennill honna a bydden ni'n mynd i Lerpwl gyda gobaith o ennill y gynghrair. Dim problem.

Ond aeth popeth o'i le ac erbyn hanner amser ro'n ni'n colli o 3 gôl i 0. Problem enfawr. Dyna ni, roedd pawb yn meddwl bod popeth ar ben.

Ond rywsut, yn ystod hanner amser, llwyddodd Mark Sampson i newid popeth. Erbyn i ni gerdded allan ar gyfer yr ail hanner roedd pawb yn hollol bendant ein bod ni'n mynd i ennill y gêm.

Sgoriodd Natalia ddwy gôl i roi gobaith i ni. Gydag wyth munud i fynd 'nes i gymryd tafliad hir a pheniodd Ann-Marie Heatherson y bêl i mewn i wneud y sgôr yn 3–3. Ac yna, yn y funud olaf, dyma Natalia yn taro eto i ennill y gêm 4–3. Hollol, hollol wallgof.

Dwi wedi clywed ers hynny gan chwaraewyr o Lerpwl ac Arsenal bod pawb yn gwybod ein bod ni'n colli ar hanner amser. Roedd pawb yn meddwl bod ein tymor ni ar ben. A doedd neb yn gallu credu'r sgôr derfynol.

Roedd hyn yn golygu mynd i Lerpwl yn y gêm olaf gyda gobaith o ennill y gynghrair. Erbyn hyn roedd lot o ddiddordeb a lot o gefnogwyr yn ein dilyn ni. Roedd dros ddwy fil yn gwylio un o'r gemau cartref olaf ym Mryste, ac roedd dros fil wedi teithio lan i Lerpwl ar gyfer y gêm fawr.

Ond does dim diweddglo hapus yn anffodus. Dim *happy ever after*. Roedd Lerpwl lot gwell na ni ar y diwrnod a nhw enillodd o 2 gôl i 0.

Eto, er bod llawer yn siomedig, roedd

angen sylweddoli bod y tîm wedi cael tymor arbennig o dda. Ro'n ni wedi gorffen yn ail, uwchben Arsenal a Chelsea, ac roedd hynny'n golygu'n bod ni'n chwarae yng Nghynghrair y Pencampwyr y tymor nesaf. Academi Bryste yn y Champions League. Waw!

Ond nid pawb oedd yn mynd i fod yno. Cafodd Mark Sampson gynnig swydd rheolwr Lloegr. Er bod pawb yn *gutted* i'w weld e'n gadael roedd rhaid iddo gymryd y swydd. Roedd y cyfle i reoli yn rhyngwladol yn enfawr, a'r cynnig yn wych, gyda lot mwy o arian.

Dyma oedd dechrau'r diwedd i'r tîm yma. Roedd y llwyddiant yn golygu bod y clybiau mawr eisiau arwyddo'r chwaraewyr. Ond er 'mod i wedi clywed bod cwpwl o glybiau eisiau fy arwyddo i, roedd pawb eisiau aros am un tymor arall.

Mae'n hawdd edrych 'nôl ond efallai dylsen i fod wedi gadael ar y pryd. Ond bydden i wedyn wedi colli'r cyfle i chwarae yng Nghynghrair y Pencampwyr. A chwarae yn erbyn Barcelona o bawb.

Daeth fy hen ffrind o Gaerdydd, Sophie

Ingle, i'r clwb yn yr haf. Roedd hyn yn newyddion da iawn i fi, wrth gwrs. Ro'n i wedi symud i fyw ym Mryste erbyn hyn hefyd. Roedd y ddinas yn grêt, lot mwy na Chaerdydd ond yn dal yn ddigon bach i gwrdd â phobl.

7

Barcelona

UN ENWW OEDD AR wefusau pawb ym Mryste ar ddechrau tymor 2014 – Barcelona.

Barça yw un o'r clybiau mwyaf yn y byd pêl-droed ac roedd yna gyffro mawr ym Mryste pan ddaeth y newyddion ein bod ni'n mynd i chwarae yn eu herbyn nhw yn Ewrop. Ar ôl i ni stopio dathlu roedd pawb yn meddwl yr un peth: "Reit, sut ydyn ni'n mynd i'w stopio nhw?"

Dave Edmondson oedd y rheolwr erbyn hyn. Roedd e wedi dod aton ni o Awstralia ac wedi hyfforddi yn America. Ond roedd wedi ei eni ym Manceinion ac roedd yr acen yn dal yn amlwg. Roedd ganddo fe gynllun ar gyfer y gêm yn erbyn Barcelona. Mae tîm y merched yn union fel y dynion. Pasio, pasio, pasio. Tiki-taka maen nhw'n galw'r steil o chwarae erbyn hyn. Mae e'n hyfryd i'w wylio, ond mor anodd chwarae yn ei erbyn.

Ddim ein bod ni'n poeni am hynny. Do'n i ddim rili yn gallu credu'r peth. Sut yn y byd ro'n i wedi cyrraedd fan hyn? Chwarae yn erbyn Barcelona yn Ewrop! Roedd e'n teimlo'n bell iawn o Fargoed.

Roedd y gêm gyntaf yn Barcelona yn y Miniestadi. Dyna maen nhw'n galw'r stadiwm fach sydd drws nesaf i'r Nou Camp, sef cartref enfawr tîm y dynion.

Fel ro'n i'n disgwyl roedd Barça yn cael y meddiant i gyd ar ddechrau'r gêm ond yna, hanner ffordd drwy'r hanner cyntaf, ges i'r bêl ar yr asgell. Bant â fi yn syth, heibio i ddwy o'u chwaraewyr a chroesi'r bêl yn gyflym. Tarodd y bêl un o chwaraewyr Barça a hedfan i mewn i'r gôl.

1–0. *Brilliant*!

Roedd lot o amser i fynd, ond ro'n i'n gwybod yn union beth i'w wneud. Bod yn amyneddgar a brwydro am bopeth. Peidio gadael iddyn nhw gael cyfle.

Mae'n rhaid eu bod nhw wedi cael pum deg ergyd ond doedd dim ffordd drwodd. Pan ddaeth y chwiban olaf roedd pawb wedi blino gormod i ddathlu, dim ond cwympo i'r llawr yn llawn rhyddhad. Doedd Barcelona ddim wedi colli gartref mewn 55 gêm, ond roedd hynny ar ben, diolch i ni!

Roedd yr ail gêm yn ôl ym Mryste yr wythnos wedyn – ac roedd yr heip yn wallgof. Pawb yn gyffrous, pawb eisiau cyfweliadau gyda ni. Roedd bywyd yn boncyrs. Roedd tua 3,000 yn gwylio yn Ashton Gate ac ro'n i'n gwybod bod gyda ni gyfle i greu hanes. Ond ro'n i'n gwybod hefyd pa mor anodd oedd eu stopio nhw rhag sgorio.

Yr un oedd y cynllun ac roedd popeth yn mynd yn iawn tan i Barcelona sgorio ar ôl cic rydd cyn hanner amser.

Roedd hyn yn golygu bod y gêm yn gwbl gyfartal dros y ddau gymal. Os nad oedd neb yn sgorio byddai'n rhaid cael amser ychwanegol.

Ond wedyn, gyda saith munud i fynd, dyma fi drwodd. Dwi'n cofio cael y bêl o'r cefn, 'nes i stopio, esgus mynd un ffordd ond wedyn newid cyfeiriad. A dyma fi'n gweld dwy o'u chwaraewyr yn dod amdana i. Ro'n i'n gwybod eu bod nhw'n mynd i 'nharo i, ond ro'n i'n gwybod hefyd bod cyfle i ennill cic o'r smotyn. 'Nes i wthio'r bêl heibio iddyn nhw ac aros am y dacl.

Penalti. Cyfle o'r smotyn i ennill y gêm.

Ro'n i'n teimlo'n sâl gan nerfau ac yn methu gwylio. 'Nes i droi fy nghefn ac edrych i ffwrdd. Ond doedd dim angen poeni. Camodd Nikki Watts mlaen, ac roedd sŵn y dorf yn dweud y cyfan.

Gôl!

Ro'n ni wedi ennill yn erbyn Barcelona. Ro'n ni drwodd i'r wyth olaf. Beth bynnag sy'n digwydd yn y dyfodol bydd y gemau yma'n aros gyda fi am byth.

Er bod hwn yn uchafbwynt roedd e'n adeg trist hefyd o ran y clwb. Roedd y llwyddiant yn golygu bod y clybiau mawr yn ceisio arwyddo'r chwaraewyr, ac erbyn y tymor nesaf roedd tri chwarter y tîm wedi gadael.

Gan gynnwys fi.

8

America

Ar ôl cyfnod gwych yn y gêm roedd un o'r cyfnodau mwyaf anodd ar fin dechrau.

Ro'n i ar y ffordd gartre o ymarfer yn y car gyda Sophie Ingle pan ges i neges gan Matt Beard, cyn-reolwr Lerpwl, oedd nawr yn America. Mae e'n *real Cockney geezer* a dwi'n dod mlaen yn dda gyda fe. Roedd ffrind Matt yn rheoli tîm Washington Spirit ac roedd e eisiau sgwrs gyda fi. Fel arfer roedd 'sgwrs' gyda rheolwr clwb arall yn golygu un peth – eu bod nhw eisiau arwyddo.

Dwi'n cofio holi Sophie, "Be fi'n mynd i neud?"

Redd hi'n dweud bod rhaid i fi fynd i America. Ond roedd fy mhen yn troi.

Daeth yr alwad gwpwl o ddyddiau wedyn gan Mark Parsons. Ro'n i'n disgwyl siarad gydag Americanwr ond Cockney arall oedd yno.

"Owright, Tash?"

Roedd e wedi bod yn gwylio fy chwarae o bell dros y ddau dymor diwethaf. Ar ôl siarad â Matt, roedd e hefyd yn credu y bydden i'n gallu gwneud yn dda yn America. Dyma oedd y freuddwyd fawr i fi erioed – chwarae pêl-droed yn broffesiynol yn America. Ar ôl colli'r cyfle i fynd i North Carolina ar ysgoloriaeth roedd 'na gyfle arall wedi cyrraedd. Roedd y cylch yn gyflawn.

Roedd rhaid i fi gymryd y cyfle.

Fi oedd y cyntaf i adael y tîm gwych yna ym Mryste, ac roedd hynny'n torri fy nghalon. Ro'n i'n meddwl 'mod i'n siomi pobl. Dydych chi ddim yn meddwl amdani fel swydd, nac yn gweld hyn fel cyfle i gael swydd well. Ro'n i'n crio ac yn ypsét iawn. Maen nhw'n dweud mai fi ddechreuodd yr ecsodus o Fryste, a dwi ddim yn siŵr os yw hynny'n grêt!

Roedd popeth wedi ei sortio. Cytundeb dwy flynedd a thros £23,000 y flwyddyn. I fi roedd hynny'n ffortiwn.

Daeth y cytundeb drwodd a'r cam nesaf oedd y fisa.

Ro'n i wedi gwneud rhai pethau twp pan

o'n i'n ifanc. Dim byd mawr, ond roedd hynny ar fin chwalu popeth. 'Nes i drial cuddio'r ffaith 'mod i wedi bod mewn trwbwl ac oherwydd hynny y cafodd y fisa ei wrthod. Tasen i jyst wedi cyfaddef byddai popeth wedi bod yn ocê. Ond ro'n i'n poeni gymaint 'nes i gamgymeriad enfawr.

Daeth y llythyr i dŷ Mam a Dad pan o'n i'n gweithio ym Mryste. Ffoniodd Mam fi a 'nes i ddweud wrthi am agor y llythyr, ond roedd gyda fi deimlad ofnadwy bod rhywbeth ddim yn iawn.

Ac ro'n i'n gywir – roedd y fisa wedi ei wrthod. Doedd dim hawl gyda fi fynd i chwarae yn America. Ro'n i'n gweithio mewn coleg i bobl gydag anghenion arbennig ar y pryd a 'nes i jyst torri i lawr. 'Nes i ddweud wrth y Prifathro bod rhaid i fi fynd gartre i sortio pethau. Roedd e'n dod o gefndir tebyg i fi ac roedd e'n deall. Dywedodd wrtha i am gymryd gweddill yr wythnos i ffwrdd, diolch byth.

Mae'n rhaid i fi sôn am y coleg.

Coleg Filton oedd enw'r lle ac mae yna adran ar wahân ar gyfer pobl sydd â phroblemau dysgu. ADHD yw'r term mae pawb yn ei ddefnyddio ond mae 'na lot o wahanol *issues* o fewn hyn. Diffyg canolbwyntio yw un broblem fawr; maen nhw'n gallu bod yn rhy fywiog, yn *hyperactive*. Roedd 'na bobl ifanc gyda syndrom Down a pharlys yr ymennydd yno hefyd.

Ro'n i yng ngofal myfyrwyr oedd yn cael problemau yn yr ysgol a'r coleg – rhai oedd yn colli lot o ddiwrnodau ac yn absennol yn aml. Ac achos hynny roedd eu graddau yn cwympo. Ro'n nhw'n dod aton ni wedyn i geisio gwella'r graddau a'u lefelau presenoldeb.

Roedd y myfyrwyr yma'n fy atgoffa i ohona i fy hunan yn yr ysgol. Doedd dim problemau mawr gyda fi ond ro'n i'n cael trafferth canolbwyntio ac yn colli ambell ddiwrnod. Ro'n i'n dod mlaen yn grêt gyda nhw achos ro'n nhw'n fy nhrystio i. Ac achos 'mod i'n chwarae pêl-droed ro'n nhw'n fy hoffi i hefyd. Dwi'n dal i siarad gyda rhai ohonyn nhw weithiau ac mae lot wedi cael swyddi llawn-amser.

Dydd Mercher oedd fy hoff ddiwrnod achos ro'n i'n trefnu gwers ddrama gyda myfyrwyr oedd gyda ADHD, Downs a pharlys yr ymennydd. Ro'n i'n gwneud unrhyw beth i wneud i bawb chwerthin. Roedd e'n grêt.

Dwi'n credu y gallen i fod wedi bod yn athro tasen i ddim yn chwarae pêl-droed. Ond pêl-droed oedd fy mywyd, ac roedd hynny ar chwâl ar y pryd.

Cymerodd hi amser hir i fi ddod dros y sioc o beidio cael y fisa i fynd i America. Roedd y freuddwyd wedi ei chwalu ddwywaith. Y tro cyntaf ar ôl i fi newid fy meddwl a pheidio derbyn yr ysgoloriaeth. A nawr achos 'mod i wedi bod yn hollol stiwpid pan o'n i'n ifancach.

Dim ond fi a'r teulu a rhai ffrindiau agos oedd yn gwybod ar y pryd, wrth gwrs. Ond roedd pawb yn mynd i glywed cyn bo hir. Roedd y stori 'mod i'n mynd i Washington wedi cael lot o sylw yn y newyddion ond nawr byddai rhaid i fi esbonio pam fod pethau wedi newid.

Ro'n i ar fin mynd gyda thîm Cymru i Groatia, ar gyfer Cwpan Istria. Dyma oedd y tro cyntaf i'r garfan gwrdd ers i Jayne Ludlow gymryd drosodd fel rheolwr. Roedd pawb arall yn gyffrous, yn gobeithio plesio'r rheolwr newydd, ond roedd fy myd bach i ar chwâl.

A jyst pan o'n i'n meddwl na allai pethau fynd yn waeth, 'nes i gael anaf hefyd. Digwyddodd hyn ym munud gyntaf y gêm gyntaf i Gymru yng Nghroatia. Ro'n i'n mynd i fod allan am tua deuddeg wythnos.

O fewn pedwar mis ro'n i wedi mynd o'r uchafbwynt mwyaf yn fy ngyrfa i'r isafbwynt gwaethaf posib.

Roedd ennill yn erbyn Barcelona yn freuddwyd ond roedd colli'r cyfle i chwarae'n broffesiynol yn America yn hunllef. A gydag anaf ar ben hynny ro'n i'n teimlo'n fwy isel nag erioed.

9

Manceinion

DIOLCH BYTH AM TWITTER.

Mae lot o rybish ar y cyfryngau cymdeithasol ond mae 'na bobl dda yno hefyd. 'Nes i gael neges yn dweud wrtha i am gysylltu gyda Matthew Buck o'r PFA, Cymdeithas y Pêl-droedwyr Proffesiynol. Roedd angen help arna i achos doedd dim clwb gyda fi. Doedd dim asiant gyda fi chwaith, felly wnaeth Matt gysylltu gyda chlybiau ar fy rhan i.

Ac yn sydyn, dyma'r cynigion yn cyrraedd. Roedd Chelsea a Reading wedi dangos diddordeb, ac roedd pethau mawr yn digwydd ym Manchester City. Roedd tîm wedi bod yna ers diwedd y 1980au ond ar ôl i gynghrair newydd y merched, y Women's Super League, gael ei sefydlu, roedd y clwb wedi'i drawsnewid yn llwyr. Ro'n nhw nawr gyda chysylltiadau lot mwy agos gyda thîm y dynion ac yn defnyddio'r un cyfleusterau ymarfer.

Os dydych chi ddim yn dilyn pêl-droed mae angen i chi wybod ychydig am hanes Manchester City. Maen nhw'n hen dîm enwog, ond do'n nhw erioed mor fawr â chlwb arall y ddinas, Manchester Utd. Newidiodd popeth yn 2008 ar ôl i'r Abu Dhabi United Group brynu'r clwb. Maen nhw wedi gwario ffortiwn ar y clwb ers hynny. Maen nhw wedi arwyddo rhai o chwaraewyr gorau'r byd, ac erbyn hyn wedi arwyddo un o'r rheolwyr gorau hefyd, Pep Guardiola.

Mae'r tîm wedi bod yn ennill bron popeth yn y blynyddoedd diwethaf. Maen nhw hefyd wedi gwario miliynau yn trawsnewid y ganolfan ymarfer, gan greu un o'r llefydd mwyaf *high-tech* yn y byd. A nawr roedd tîm y merched eisiau fy arwyddo i, Tash.

Man City oedd y clwb cyntaf i gysylltu ac ro'n nhw'n cynnig cytundeb i fi yn syth. Mae'n hawdd edrych yn ôl ond dwi'n credu y dylsen i fod wedi mynd i siarad gyda Chelsea hefyd. Ond gan mai City oedd y cyntaf i gysylltu ro'n i eisiau bod yn deg gyda nhw.

Ro'n i'n dal yng Nghroatia ar y pryd gyda charfan Cymru ar ôl cael yr anaf. A bob tro roedd y ffôn yn canu ro'n i'n mynd allan am dro i lawr at yr harbwr achos do'n i ddim eisiau i bawb glywed beth oedd yn digwydd. Ar ôl siarad gyda'r bosys ym Man City 'nes i gytuno'n syth. Roedd gyda fi glwb o'r diwedd.

Ond doedd dim amser i ymlacio. Roedd angen trefnu popeth.

Ro'n i'n byw ym Mae Caerdydd ar y pryd ac ro'n i'n ffonio fy ffrind i ddweud wrthi am bacio fy stwff. Doedd dim car gyda fi chwaith, ond doedd hynny ddim yn broblem achos roedd Man City yn mynd i hala *chauffeur*. *Chauffeur*?! Roedd hyn yn boncyrs.

O fewn dim ro'n i wedi cyrraedd maes ymarfer Man City, sydd fel rhywbeth o blaned arall, ac yn arwyddo cytundeb. Ro'n i mor hapus. Roedd y freuddwyd yn dal yn fyw. Yr unig broblem yn y byd oedd 'mod i'n cefnogi Manchester Utd!

"Gwell i ti beidio sôn am hynny," oedd unig ymateb y clwb!

Ar y dechrau ro'n i'n byw ar y campws ymarfer cyn i'r clwb ffeindio apartment i fi yn Deansgate. Roedd y lle yn anhygoel, yn union fel breuddwyd. Byddai fy fflat yng Nghaerdydd wedi ffitio i mewn i un stafell wely yn y lle newydd yma. Ro'n i'n caru'r ddinas hefyd. Mae'r bobl yn wych. Mae rhywbeth arbennig am yr ardal – traed pawb ar y ddaear, sy'n debyg iawn i gartref.

Roedd y cefnogwyr yn grêt, a'r holl staff. Dwi'n dal wrth fy modd yn mynd yn ôl yna i chwarae nawr. 'Nes i lot o ffrindiau yn y clwb a byddwn ni'n aros yn agos am byth.

Beth sy'n hollol anhygoel gyda Man City yw bod y merched yn ymarfer yn yr un lle â'r dynion. Roedd bois fel Kevin De Bruyne newydd arwyddo am £55 miliwn, ond dwi'n dal i gredu mai fi oedd y trosglwyddiad mwyaf!

Roedd y cyfleusterau yn wallgof. Y gorau o bopeth. Hyd yn oed y bwyd. Roedd y cogyddion gorau yno, a'r gampfa yn well nag unrhyw beth ro'n i wedi'i weld erioed. Peiriannau rhedeg a beicio o dan y dŵr yn y pwll nofio, ystafelloedd ymlacio, sba ar gyfer y traed, bath oer i helpu'r cyhyrau. Yr agosaf ro'n i wedi dod at *ice bath* cyn hyn oedd neidio mewn i *wheelie bin* yn llawn rhew!

Er bod popeth yn grêt oddi ar y cae ges i anaf gwael yn ystod y tymor. Ro'n i'n chwarae yn erbyn Birmingham a ges i dacl rili wael ar ôl 18 munud. Dwi'n cofio'n union pryd! Pan ydych chi'n gyflym mae pobl yn gwneud unrhyw beth i drio'ch stopio chi, mae e'n *compliment* mewn ffordd.

Ro'n i'n hollol *gutted* gyda'r anaf. Roedd popeth yn dechrau setlo, ond dyma ergyd arall i fi. Yr ymateb cyntaf oedd esgus bod popeth yn ocê. Ond ro'n i'n gwybod bod yr anaf yn ddifrifol. 'Nes i dorri'r *ligaments* yn fy mhigwrn chwith yn llwyr. Ac i wneud pethau'n waeth roedd y gêm nesaf yn erbyn Bryste. Ro'n i wedi bod yn edrych ymlaen gymaint at fynd yn ôl yna a gweld pawb. Chwarae teg i City, ro'n nhw'n hapus i fi fynd gyda nhw i'r gêm, ond roedd hi'n anodd gorfod gwylio.

Tasen i ddim ym Man City fydden i byth wedi dod yn ôl mor gyflym o'r anaf. Ac yn bendant ddim mor gryf. Mae pobl gyffredin allan am chwe mis gydag anaf fel hyn, ond ro'n i'n ôl mewn dau fis, ar ôl cael y driniaeth orau bosib. Mae'n dal yn amser anodd, pan ydych chi ar ben eich hunan gyda'r *physio* yn ceisio dod yn ffit eto. Mae'r dyddiau yn teimlo'n hir iawn ac yn unig hefyd.

'Nes i ddod yn ôl cyn diwedd y tymor a chwarae 90 munud yn y gêm gyntaf. Fel arfer dydych chi ddim ond yn chwarae rhan o'r gêm gyntaf ar ôl anaf, neu ddod mlaen fel eilydd. Ro'n i wedi blino'n lân, yn methu symud, ond yn hapus i fod yn ôl.

Roedd Man City yn hapus hefyd achos 'mod i wedi gwneud yn dda yn y gêm gyntaf. Lerpwl gartref oedd y gêm nesaf a 'nes i sgorio. Roedd e'n deimlad gwych – ro'n i'n ôl, diolch byth! Roedd yr amseru yn berffaith achos roedd Man City ar rediad anhygoel.

Mae cynghrair y merched erbyn hyn yn rhedeg o fis Medi i fis Mai, yn debyg i'r dynion. Ond ar y pryd roedd y tymor yn dechrau ym mis Mawrth ac yn gorffen yn yr hydref. Roedd 'na doriad wedi bod y tymor yna achos roedd Cwpan y Byd yn y canol. Er bod Cymru ddim wedi cyrraedd Cwpan y Byd roedd gwylio'r cyfan yn deimlad arbennig. Aeth Lloegr yr holl ffordd i'r rownd gynderfynol ac roedd llawer o'r tîm yna'n chwarae i Man City.

Pan ddaeth pawb yn ôl ar gyfer ail ran y

tymor roedd ein tîm ni wedi newid yn llwyr. Ar ôl hanner cyntaf siomedig i'r tymor roedd yr ail hanner yn grêt. Roedd dylanwad Cwpan y Byd yn golygu bod mwy yn gwylio hefyd ac ro'n ni'n cael dros 3,000 yn dod i'n gwylio ni yn gyson.

Enillodd y clwb 12 o'r 13 gêm olaf ac ro'n ni bron ag ennill y gynghrair. Aeth y cyfan i'r gêm olaf yn erbyn Notts County. Roedd angen i ni ennill a gobeithio bod Chelsea ddim yn ennill.

'Nes i greu dwy gôl yn y gêm olaf yna wrth i ni ennill, ond enillodd Chelsea hefyd, a nhw oedd y pencampwyr. Er bod hynny bach yn siomedig, roedd gorffen yn ail yn golygu ein bod ni wedi cyrraedd Cynghrair y Pencampwyr am y tro cyntaf.

Gan fod y tymor yn gorffen yn yr hydref roedd y Nadolig yna yn wych. Cyfle i fynd adref ac ymlacio, a dim byd yn fy mhoeni i am unwaith.

Ond rydych chi'n gwybod beth sy'n dod nesaf...

10

Lerpwl

BOB TRO MAE PETHAU'N dechrau setlo mae rhywbeth yn digwydd i newid popeth. A dyna ddigwyddodd ar ddechrau 2016. Doedd hi ddim yn flwyddyn newydd dda iawn.

Ro'n i yng Nghaerdydd yn paratoi i ddychwelyd i Man City ac wedi bod yn trefnu i rannu tŷ gyda rhai o'r merched eraill. Ro'n i'n dwlu byw ym Manceinion ac yn edrych mlaen at fynd 'nôl.

Am ddeg o'r gloch un bore dyma fy asiant yn ffonio gyda newyddion mawr.

"Haia, ti'n ocê? Gwranda, ni newydd gael *chat* gyda Man City ac ma Lerpwl eisiau dy arwyddo di. Maen nhw wedi gwneud cynnig ac mae City yn hapus i ti adael."

Roedd hyn yn wallgof! Ro'n i newydd gwrdd â fy mhartner, Emily, ac yn dechrau setlo ym Manceinion. Roedd bywyd yn braf. Ro'n i wedi bod yn chwarae'n dda hefyd ac yn meddwl bod popeth yn iawn gyda'r clwb. Ond unwaith maen nhw'n derbyn cynnig gan glwb arall rydych chi'n gwybod bod pethau ar ben. Tase City ddim eisiau i fi adael fydden nhw ddim wedi derbyn cynnig Lerpwl. Felly roedd rhaid i fi siarad gyda nhw.

Do'n i ddim wedi cael profiad fel hyn o'r blaen. O fewn dim dyma'r ffôn yn canu eto, yr asiant eto.

"Reit, dyma be mae Lerpwl yn cynnig – £10,000 yn fwy na'r hyn ti'n gael ym Man City a chytundeb dwy flynedd. Hapus?"

Ro'n i'n teimlo'n hollol *numb* erbyn hyn ac yn methu credu beth oedd yn digwydd. Ro'n i'n tecstio rhai o'r merched eraill yn City ac roedd pawb yn methu credu'r peth. Ac erbyn diwedd y pnawn dyma'r asiant yn ffonio eto i ddweud bod popeth wedi ei sortio.

"Ma'r cytundeb yn iawn, 'na i gyd ni angen nawr yw dy lofnod. Llongyfarchiadau, ti newydd ymuno 'da Lerpwl."

Ro'n i wedi mynd o fod yn chwarae i Man City i chwarae i Lerpwl mewn chwe awr, a do'n i braidd wedi gadael y tŷ! 'Nes i ddim siarad gyda Man City o gwbl yn ystod y broses yma, a dwi'n dal heb wneud. Ro'n i'n rili siomedig ond mae hyn yn digwydd yn y gêm yma.

Doedd dim pwynt siarad gyda nhw. Tasen i wedi dechrau holi 'Pam?' fyddai hynny ond wedi dechrau dadl, a dwi wedi cael digon o'r rheini mewn bywyd. Mae angen derbyn pethau weithiau.

Dyma'r cyfan yn dechrau eto. Mae symud clwb fel symud tŷ. O fewn wythnos ro'n i wedi clirio fy *locker* ym Man City ac wedi symud i Lerpwl.

Ar ôl i fi ddod dros y sioc ro'n i'n dechrau teimlo'n well. Roedd Lerpwl yn amlwg yn enw mawr iawn ac wedi ennill y gynghrair ddwywaith. Ond, fel Bryste, ro'n nhw wedi colli lot o chwaraewyr. Felly, ro'n i'n un o naw chwaraewr newydd i ymuno â'r clwb cyn y tymor newydd.

Y newyddion da oedd bod un o fy ffrindiau mawr yn chwarae iddyn nhw yn barod – Sophie Ingle. Roedd lle gyda hi i fi fyw hefyd, felly dyma fi'n mynd i rannu tŷ gyda hi a Laura Coombs. Cyn mynd i Lerpwl do'n i ddim rili yn gwybod lot am y Beatles, felly doedd cyfeiriad y tŷ ddim yn golygu llawer i fi. Efallai'ch bod chi wedi clywed am y lle? Penny Lane!

Eto, roedd y lle yn wych a'r ddinas yn grêt. Ro'n i'n byw yn agos i'r dref ac roedd e'n ddigon agos i Fanceinion hefyd i fi gadw mewn cysylltiad â fy holl ffrindiau yno. Mae'r Scousers yn ocê hefyd. Er, dwi'n methu dweud y gwahaniaeth rhwng Scousers a phobl o ogledd Cymru. Maen nhw i gyd yn swnio'r un peth!

Roedd y cyfnod yn Lerpwl yn anodd ar y dechrau. Roedd gadael Man City wedi effeithio arna i'n fawr. Ar un adeg do'n i ddim hyd yn oed eisiau chwarae pêl-droed, a dyna i gyd dwi wedi bod eisiau'i wneud trwy fy mywyd. Wna i byth adael i bethau fynd mor wael â hynny eto.

Mi es i deimlo'n isel iawn. Roedd gymaint wedi digwydd i fi mewn cyfnod byr. Mae pawb sy'n fy nabod i'n gwybod 'mod i'n berson hapus iawn. *Bubbly* yw'r gair mae pawb yn ei ddefnyddio. Wna i siarad ag unrhyw un. Dyw hi ddim yn cymryd mwy na dwy eiliad o'ch diwrnod i holi pobl ydyn nhw'n ocê.

Ond do'n i'n bendant ddim yn ocê am gyfnod. Y bobl o 'nghwmpas i oedd yr help mwyaf. Teulu a ffrindiau. Mae Mam yn gymeriad cryf iawn ac roedd hynny'n help enfawr. Weithiau mae'r pethau bach yn gwneud gwahaniaeth. Mae cael rhywun yn holi wyt ti'n ocê yn helpu. A jyst gwneud pethau y tu allan i bêl-droed, pethau normal.

Roedd yr holl boeni yn amlwg yn effeithio ar fy ngêm i. Ond, yn araf bach, 'nes i ddechrau gwella ac yn 2017, fi oedd un o brif sgorwyr Lerpwl.

Erbyn diwedd y cyfnod yn Lerpwl roedd pethau lot gwell. Ro'n i'n chwarae'n dda ac yn hapus oddi ar y cae. Daeth y cytundeb i ben ac roedd Reading eisiau fy arwyddo i – clwb gyda lot o uchelgais. Ro'n nhw eisiau i fi ymuno er mwyn eu helpu nhw i gyrraedd y brig. Roedd e'n neis gwybod bod rhywun yn dangos ffydd fel yna ynddoch chi.

11

Cymru

Dwi ddim wedi siarad llawer am chwarae i Gymru. Mae 'na reswm da am hynny, achos 'nes i ddim chwarae am bron i ddwy flynedd.

Roedd y ferch ro'n i mewn perthynas â hi yn y dyddiau cynnar yng Nghaerdydd yn genfigennus iawn ohona i'n chwarae pêl-droed. Hi oedd wedi fy mherswadio i i beidio mynd i America, a doedd hi ddim eisiau i fi chwarae i Gymru chwaith. Ro'n i'n hollol stiwpid ar y pryd, ond mae pobl yn gwneud pethau dwl pan maen nhw'n ifanc. Yn enwedig fi!

Adrian Tucker oedd y rheolwr ar y pryd ac roedd e'n fy nghynnwys i yn y carfanau ond ro'n i wastad yn tynnu allan. Roedd e'n dal i decstio ac yn gofyn i fi ddod i chwarae, ond ro'n i'n ei anwybyddu, ac yn y diwedd wnaeth e stopio cysylltu.

Newidiodd pethau pan gafodd Jarmo Matikainen swydd rheolwr Cymru yn 2010. Dyma'r tro cyntaf i'r Gymdeithas Bêl-droed benodi rheolwr llawn-amser i'r merched a newidiodd y gŵr o'r Ffindir bopeth.

Ar ôl iddo gael y swydd wnaeth e gysylltu gyda phawb oedd wedi chwarae i Gymru dros y blynyddoedd diwethaf. Roedd e eisiau gweld pawb ac wedi trefnu noson hyfforddi yng Nghaerdydd. Es i ddim achos roedd rhaid i fi weithio. Roedd angen yr arian arna i, mor syml â hynny. Ro'n i hefyd bach yn nerfus achos do'n i ddim wedi bod gyda Chymru ers amser hir.

Trwy lwc, daeth e i wylio un o gemau Caerdydd ar ôl hynny, a diolch byth, 'nes i chwarae'n dda. Ges i fy nghynnwys fel un o'r chwaraewyr wrth gefn ar gyfer gêm gyfeillgar yn erbyn Lwcsembwrg, ac erbyn i'r gêm gyrraedd roedd rhywun wedi cael anaf. Ro'n i'n ôl yng ngharfan Cymru.

Dwi'n cofio cyrraedd y gwesty ym Mhort Talbot yn teimlo'n nerfus iawn. Ond roedd Kath Morgan yno yn disgwyl yn y dderbynfa. Kath oedd y ferch gyntaf i ennill hanner cant o gapiau i Gymru ac roedd hi nawr yn hyfforddi gyda Jarmo.

Ro'n i'n ei nabod hi hefyd achos roedd hi wedi dysgu yn Ysgol Cwm Rhymni am flwyddyn, felly roedd e'n grêt ei gweld hi. Dyma hi'n rhoi cwtsh anferth i fi achos roedd hi'n gwybod beth oedd hyn yn ei olygu i fi. Roedd Jarmo yno hefyd, ac er ei fod e bach yn *scary* roedd hi'n neis ei weld e. Roedd e mor broffesiynol a do'n i erioed wedi profi hynny o'r blaen.

Pan o'n i'n ifanc gyda thîm Cymru byddai'r merched i gyd yn mynd allan ar y noson olaf. Pawb yn yfed. Doedd y canlyniadau ddim mor bwysig â hynny, achos ro'n ni'n rybish a doedd neb yn poeni ta beth. Ro'n ni'n aros mewn gwestai gwael ac yn ymarfer ar gaeau gwarthus. Ro'n ni'n cael hen grysau'r dynion i'w gwisgo yn y gemau, ac ro'n nhw'n anferth. Ro'n ni'n arfer bod yn ddiolchgar pan o'n nhw'n gadael i ni gadw'r crysau ar ôl y gemau. Ond y gwir yw bod neb arall eisiau nhw.

Ond newidiodd Jarmo bopeth.

Ges i fy newis i ddechrau'r gêm gyfeillgar, ac yng nghefn fy meddwl ro'n i'n gwybod bod rhaid i fi chwarae pêl-droed gorau fy mywyd. Roedd rhaid i fi ddangos i'r rheolwr newydd beth ro'n i'n gallu'i wneud.

'Nes i ddechrau'r gêm a chreu pedair gôl wrth i ni ennill o 5 gôl i 1. Dechrau da! Ro'n i'n gwybod 'mod i'n ôl. Dydych chi byth yn sicr o'ch lle yn y tîm, ond ro'n i hefyd yn gwybod bod lle yn y tîm tasen i'n cario mlaen i chwarae fel hyn.

Roedd popeth yn teimlo'n wahanol yn syth. Popeth yn fwy proffesiynol. Dechreuodd Jarmo ddod â lot mwy o chwaraewyr ifanc i mewn, enwau newydd. Fel dwedais i, roedd pawb yn ofni Jarmo, ond ro'n ni i gyd yn ei barchu fe. Roedd e'n dod o Sgandinafia ac maen nhw'n gallu bod dipyn bach fel robots. Maen nhw'n hollol drefnus ac oedd, roedd e'n union beth ro'n i'n ddisgwyl.

Roedd hyn yn rhywbeth gwahanol iawn i Gymru ond roedd pawb yn barod am y newid. Roedd y gwestai a'r cyfleusterau yn well. Yr hyfforddi a'r ymarfer yn well. Y steil o chwarae yn wahanol hefyd. Syniad Jarmo yn syml oedd chwarae i gryfderau'r chwaraewyr. Roedd e eisiau gwneud yn siŵr ein bod ni'n drefnus ac yn anodd i'n curo. Efallai fod hyn ddim yn golygu chwarae'r pêl-droed gorau bob tro, ond roedd e'n gweithio.

Ffitrwydd oedd y peth mawr ar y dechrau. Er mwyn cystadlu gyda'r gwledydd eraill roedd rhaid i ni fod yn fwy ffit. Doedd neb wedi poeni llawer am ferched Cymru cyn nawr, ond roedd Jarmo eisiau newid y cyfan. Dechreuodd e drefnu sesiynau yn y gampfa, pawb yn codi pwysau. Roedd 'na brofion ffitrwydd *bleep* hefyd sydd yn ofnadwy o anodd. Yn syml, rydych chi'n rhedeg yn erbyn y cloc. Mae'n rhaid i chi gyrraedd y diwedd cyn sŵn y blîp. Ond wrth i chi fynd mlaen mae'r amser rhwng pob blîp yn mynd yn fyrrach, ac mae'n rhaid i chi fynd yn fwy cyflym. Erbyn y diwedd, rydych chi'n gorfod sbrintio. Neu jyst yn colapsio!

Er bod pawb yn gwybod bod y broses o wella'r tîm yn mynd i fod yn araf, ro'n i hefyd yn gwybod bod hyn yn gyfle mawr i ni i gyd. Roedd y newid yn amlwg yn yr ymgyrch gyntaf gyda Jarmo.

Y grŵp rhagbrofol ar gyfer Pencampwriaeth Ewrop oedd yr ymgyrch fawr gyntaf. Roedd Cymru yn yr un grŵp â Ffrainc, yr Alban, Gweriniaeth Iwerddon ac Israel.

Er i ni golli'r ddwy gêm gyntaf yn erbyn Iwerddon a Ffrainc, roedd y tîm yn chwarae lot gwell. Ro'n ni i gyd yn fwy ffit a lot mwy trefnus.

Gorffennodd y drydedd gêm yn yr Alban yn gyfartal, 2–2. Dyma oedd ein pwynt cyntaf ni yn y grŵp ac roedd hynny'n enfawr. Dwi'n cofio Jayne Ludlow yn mynd yn boncyrs yn y stafell newid ar ôl y gêm. Wna i ddim dweud beth yn union roedd hi'n ei weiddi, ond roedd hi'n hapus iawn!

Erbyn y gemau olaf yn y grŵp roedd gobaith gyda ni o hyd i gyrraedd Ewro 2013. Er bod Ffrainc ar y brig roedd hi'n agos rhyngon ni a'r Alban yn yr ail safle.

Ar ôl ennill yn Iwerddon o 1 gôl i 0 roedd 'na gêm gartref yn erbyn Israel – un o fy hoff gemau erioed! Er 'mod i'n chwarae'n gyson do'n i ddim wedi sgorio. A dyna yw swydd ymosodwr wrth gwrs.

Newidiodd popeth ar y Cae Ras yn Wrecsam.

A newidiodd popeth yn gyflym iawn achos 'nes i sgorio tair gôl yn yr hanner cyntaf, *hat-trick*! Y gôl gyntaf oedd yr un orau. Symudiad slic a fi'n taro'r bêl o ochr y cwrt i mewn i'r rhwyd.

'Nes i sgorio dwy arall hefyd cyn hanner amser, dau beniad. Roedd e i gyd yn dipyn bach o *blur*. Mae'r bêl honno'n dal gyda fi. Mae hynny'n draddodiad yn y byd pêl-droed – os ydych chi'n sgorio *hat-trick* rydych chi'n cael cadw'r bêl. Roedd pawb wedi arwyddo'r bêl hefyd ac mae hynny'n hyfryd.

Roedd sgorio i Gymru yn golygu gymaint i fi. Ro'n i wastad eisiau i Jarmo fy nerbyn i. Roedd e'n *maverick* ac efallai do'n i ddim yn ffitio i mewn i'w steil o chwarae drwy'r amser, ond ro'n i'n cynnig rhywbeth gwahanol. Ac ar ôl y gêm yna ro'n i'n teimlo eu bod nhw'n fy mharchu i.

Fi oedd y Class Clown ar y dechrau ond nawr ro'n i'n teimlo'n rhan o bethau, ac roedd fy mherthynas i a Jarmo wedi cryfhau hefyd.

Roedd gêm olaf y grŵp yn erbyn yr Alban ar Barc y Scarlets ac roedd yn rhaid i ni ennill i gael gobaith o orffen yn ail. Er i ni fynd ar y blaen tarodd yr Alban yn ôl i ennill o 2 i 1. Yn amlwg roedd pawb yn hollol *gutted*, ond roedd y ffaith ein bod ni hyd yn oed yn cystadlu yn dangos bod pethau yn newid.

12

Cwpan y Byd

ROEDD YR YMGYRCH NESAF, a ddechreuodd yn 2013, ar gyfer Cwpan y Byd 2015, a dyma'r tro cyntaf i fi chwarae'n gyson fel ymosodwr. Daeth y cyfle achos bod Helen Ward wedi cael babi ac ar gyfnod mamolaeth. Mae Helen yn Superwoman, mae mor syml â hynny. Hi sy'n dal y record am sgorio goliau i Gymru, ac mae hi wedi cael dau blentyn yn ystod yr amser yna. Mae'r teulu mor bwysig iddi ond mae hi'n dal eisiau dod yn ôl i chwarae i Gymru hefyd.

A dyna sy'n bwysig i ni i gyd. Roedden ni i gyd wedi bod trwy lot gyda'n gilydd ac efallai ei fod e'n golygu mwy.

Roedd y grŵp rhagbrofol yn cynnwys Belarws, Twrci, Montenegro, Iwcrain... a Lloegr! Mae hi wastad yn neis chwarae yn erbyn Lloegr, er eu bod nhw'n dîm gwych. Ond y tro 'ma roedd e hyd yn oed yn fwy sbesial achos taw Mark Sampson oedd y rheolwr – fy hen reolwr ym Mryste.

Dechreuodd pethau'n wych wrth i ni ennill dwy o'r tair gêm gyntaf. Lloegr oddi cartref oedd yr unig gêm i ni ei cholli, a dim ond 2–0 oedd honna. Er i fi a Jess Fishlock gael anafiadau yn y gêm, aeth y tîm allan i Montenegro ac ennill o 3 gôl i 0.

Dyma'r ymgyrch pan ddechreuodd pawb sylweddoli bod pethau'n newid. Ac roedd pethau hyd yn oed yn well y flwyddyn wedyn, yn 2014.

Y perfformiad gorau oedd ennill o 5 i 1 yn Nhwrci. Sgoriodd Jess *hat-trick* a 'nes i sgorio hefyd. 'Nes i sgorio eto yn y gêm nesaf wrth i ni gael gêm gyfartal 1–1 yn erbyn Iwcrain. Roedd hyn yn enfawr achos ro'n nhw'n dîm arbennig.

Roedd popeth fel petai'n clicio erbyn hyn – y perfformiadau yn wych a'r goliau yn hedfan i mewn. Sgoriodd Jess *hat-trick* arall yn y fuddugoliaeth o 4 i 0 yn erbyn Montenegro.

Dim ond un tîm oedd yn mynd drwodd yn syth ac roedd Lloegr yn ennill pob gêm. Ond roedd gobaith gorffen yn ail a chael gêm ail gyfle. Doedd neb wedi disgwyl hyn ar ddechrau'r ymgyrch.

Ar ôl ennill o 1 gôl i 0 yn erbyn Twrci roedd angen mynd allan i Felarws. Roedd hyn yng nghanol yr haf ac roedd hi mor boeth yno. Er ein bod ni wedi chwarae'n dda roedd hi'n dal yn ddi-sgôr gyda deg munud i fynd. Fel arfer mae pwynt oddi cartref yn ganlyniad da, ond roedd hi mor agos yn y grŵp fel bod rhaid i ni ennill.

Roedd y deg munud olaf fel breuddwyd. Sgoriais i *hat-trick* wrth i ni ennill 3–0. Anhygoel!

Gyda dwy gêm i fynd roedd tîm Cymru yn ail, naw pwynt yn glir o'r Iwcrain oedd yn drydydd. Ond ro'n nhw wedi chwarae dwy gêm yn llai ac yn ein chwarae ni gartref yn y gêm olaf.

Lloegr gartref oedd y gêm nesaf i ni. Er ein bod ni'n gwella gyda phob gêm, ro'n nhw ar lefel hollol wahanol. Roedd lot o sylw ar y gêm yn Stadiwm Dinas Caerdydd, ond ro'n nhw lot gwell na ni, a'r Llewod aeth â hi o 4 gôl i 0.

Roedd hyn yn golygu mai nhw oedd wedi cyrraedd Cwpan y Byd yng Nghanada.

Roedd e hefyd yn golygu bod ein gêm olaf ni yn Iwcrain yn hollol anferth. Ar ôl yr holl gemau, a'r holl ymdrech, roedd rhaid i ni ennill yn Iwcrain i gael gêm ail gyfle. Do'n i byth yn meddwl y bydden ni yn y sefyllfa yma.

Ges i anaf yn yr hanner cyntaf ac roedd rhaid i fi gael pum pwyth, ond 'nes i fynd yn ôl i chwarae am ugain munud achos bod y gêm mor bwysig. Ond roedd hyn yn un cam yn ormod i ni yn y diwedd. Sgoriodd Iwcrain yn yr ail hanner a doedd dim ffordd yn ôl. Er ein bod ni wedi gwneud gymaint gwell nag ro'n i'n disgwyl roedd y siom yn ofnadwy.

Ac roedd gwaeth i ddod ar ôl y gêm.

Roedd cytundeb Jarmo yn dod i ben. Wel, i fod yn onest, roedd disgwyl iddo adael cyn hyn ond roedd e wedi aros mlaen achos bod pethau'n mynd mor dda. Roedd e hefyd wedi dweud y byddai'n aros tasen ni'n gallu cyrraedd Cwpan y Byd.

Er ein bod ni'n gwybod hyn i gyd, ro'n ni'n dal yn meddwl ei fod e'n mynd i newid ei feddwl. Ond na, roedd e'n gadael. Daeth pawb at ei gilydd yn y gwesty ar ôl y gêm, ac ar ôl i Jess wneud *speech* bach dywedodd Jarmo ei fod e'n gadael. Roedd pawb yn deall bod pethau fel hyn yn digwydd yn y byd pêl-droed, ond ro'n i hefyd yn gwybod bod cyfle anhygoel gyda ni i fynd i'r lefel nesaf. Pam fydde fe eisiau gadael?

Ond dyna ddigwyddodd. Roedd cyfnod Jarmo ar ben ac roedd cyfnod newydd arall ar fin dechrau.

13

Capten

ROEDD GYMAINT WEDI DIGWYDD i dîm y merched ac roedd gymaint wedi newid. Roedd y penderfyniad ynglŷn â'r rheolwr nesaf yn un enfawr.

Mae'r chwaraewyr i gyd yn cadw mewn cysylltiad agos ar adegau fel hyn ac roedd pob math o sibrydion yn hedfan o gwmpas. Ond un enw oedd yn codi drwy'r amser oedd un Jayne Ludlow. Jayne oedd un o'r chwaraewyr mwyaf enwog yng ngêm y merched yng Nghymru. Roedd hi wedi ennill dros 60 o gapiau ac wedi bod yn gapten am gyfnod hir. Ac roedd hi wedi cael gyrfa anhygoel gydag Arsenal, gan ennill bron popeth sydd 'na i'w ennill yn y gêm.

Mae hi hefyd yn hollol nyts – sydd ddim yn sioc pan ydych chi'n cofio ei bod hi'n dod o'r Rhondda!

Ers ymddeol o chwarae i Gymru yn 2012

cafodd swydd reoli yn Reading, ond roedd y cynnig i reoli Cymru yn amlwg yn ormod o demtasiwn. Ac yn Hydref 2014 daeth y newyddion mawr. Jayne oedd y rheolwr newydd.

Ar y dechrau roedd rhai o'r chwaraewyr hŷn yn poeni dipyn bach. Ro'n ni wedi bod ar gymaint o *high*, ac wedyn yn poeni bod pethau'n mynd i newid. Ond doedd dim angen poeni. Roedd hi mor broffesiynol, ac roedd pawb yn gallu gweld yn syth fod y tîm yn mynd i fod yn ocê.

Yr unig rai oedd angen poeni oedd y rhai llai ffit. Wna i byth anghofio'r tro cyntaf i ni gwrdd er mwyn ymarfer. Mae'n rhaid ei bod hi wedi dewis tua phedwar deg chwaraewr a'r cyfan roedd hi eisiau'i wneud oedd gweld pwy oedd yn ffit.

HSR oedd ei hoff beth yn yr ymarfer cyntaf – High Speed Running. Mae'n rhaid i chi wneud tua deg sbrint byr mewn tri deg eiliad, 'nôl a mlaen, 'nôl a mlaen. A dyna lle roedd Jayne ar y diwedd gyda chlipfwrdd yn ticio enwau pawb oedd yn methu gorffen mewn pryd.

Mae pawb yn meddwl eich bod chi'n

rhedeg am 90 munud yn ystod gêm bêl-droed. Ond beth sy'n digwydd go iawn yw lot fawr o sbrints bach, byr. Ac roedd yr ymarfer yma'n berffaith ar gyfer gwella hynny. Roedd e hefyd yn ffordd berffaith o weld pwy oedd yn ffit neu beidio.

I Jayne, roedd y cyfan yn syml. Os dydych chi ddim yn gallu rhedeg, yna dydych chi ddim yn gallu chwarae pêl-droed. Roedd e'n hollol *brutal*. Roedd hyd yn oed y merched profiadol fel fi a Jess Fishlock mewn sioc. Ro'n i'n chwaraewr llawn-amser ac yn gyfarwydd ag ymarfer yn galed, ond roedd hyn ar lefel arall yn llwyr. Erbyn i ni gyrraedd y gemau ar ddiwedd yr ymarfer doedd neb yn gallu cicio pêl achos ro'n ni wedi blino gymaint!

Ac roedd mwy o benderfyniadau mawr i ddod.

Cwpan Istria yng Nghroatia oedd y cyfle cyntaf i'r garfan ddod at ei gilydd yn iawn. A'r sioc fawr cyn hyn oedd bod Jayne wedi cyhoeddi ei bod hi ddim yn mynd i gynnwys Jess Fishlock yn y garfan. Roedd hyn fel Barcelona ddim yn dewis Lionel Messi! Jess oedd seren y tîm a'r chwaraewr mwyaf enwog. Hi oedd y capten, ond roedd hynny'n mynd i newid hefyd. Penderfynodd Jayne mai Sophie Ingle fyddai'r capten newydd ac mai fi fyddai'r is-gapten.

Dwi'n credu mai'r penderfyniad i wneud Sophie yn gapten yw un o'r pethau gorau mae Jayne wedi ei wneud. Bydd rhaid i bobl eraill benderfynu a oedd e'n syniad da i 'ngwneud i'n is-gapten!

Ar y dechrau doedd neb yn deall pam bod Jess ddim yn y garfan. Ond erbyn hyn rydyn ni i gyd yn deall pam. Ac mae Jess yn deall hynny hefyd. Roedd Jayne eisiau cyfle i weld chwaraewyr newydd heb rai o'r cymeriadau cryf o gwmpas. Ac mae Jess wedi chwarae yn anhygoel ers hynny, heb y pwysau o fod yn gapten hefyd. Mae hi'n haeddu lot o ganmoliaeth am beidio taflu'r teganau allan o'r pram ar yr adeg yma. Gallai hi'n hawdd fod wedi cael strop a stopio chwarae i Gymru. Ond nid dyna ei steil hi.

Mae Jess yn gymeriad arbennig. Dwi'n lwcus 'mod i wedi chwarae gyda hi ers pan o'n i'n blentyn. Oherwydd hynny dwi'n dal yn gallu cael hwyl gyda hi. Dwi'n dal i ddweud wrthi ei bod hi'n edrych fel bachgen bach. Ac er bod acen Jess yn newid drwy'r amser, achos ei bod hi wedi bod ar draws y byd, mae hi'n slipio mewn i acen Llanrhymni yn syth pan mae hi'n ôl yng Nghymru.

Hi oedd y ferch gyntaf o Gymru i fynd i chwarae dramor. Mae gan bawb gymaint o barch tuag ati achos yr hyn mae hi wedi'i wneud i bêl-droed merched yng Nghymru. Mae hi yn Lyon nawr, gydag un o'r timau gorau yn y byd. Tase rhywun wedi dweud bum mlynedd yn ôl bod merch o Gymru'n mynd i chwarae i dîm Lyon, bydden i wedi chwerthin. Doedd hynny jyst ddim yn digwydd. Ond mae Jess yno. Ac mae hi'n haeddu bod yno.

Dwi'n credu y bydd Jess yn ymuno â thîm rheoli ar ôl gorffen chwarae hefyd. A bydd hi'r un mor *scary* â Jayne, yn bendant!

Pencampwriaeth Ewrop oedd ymgyrch gyntaf Jayne. Roedd Cymru yn yr un grŵp ag Awstria, Norwy, Kazakhstan ac Israel. Er bod y paratoi wedi mynd yn dda cyn hynny, roedd y canlyniad cyntaf yn siomedig – colli o 3 gôl i 0 yn Awstria. Ac roedd gwaeth i ddod yn Norwy wrth i'r tîm golli o 4 i 0. Dwi'n credu bod Jayne yn sylweddoli erbyn hynny ei bod hi wedi gwneud camgymeriad wrth adael Sophie Ingle, Hayley Ladd ac Angharad James ar y fainc. Mae wastad yn broblem pan mae'r fainc yn fwy cryf na'r tîm sydd ar y cae.

Fi oedd y capten yn y gêm yna ond doedd e ddim yn brofiad braf achos bod Sophie ar y fainc. Mae Norwy yn dîm gwych ond roedd e'n dal i fod yn deimlad od iawn.

Daeth buddugoliaeth gyntaf Jayne mewn gêm gystadleuol yn y gêm nesaf, gartref yn erbyn Kazakhstan. 'Nes i sgorio'r gôl gyntaf wrth i ni ennill o 4 gôl i 0 a sgoriodd Helen 'Superwoman' Ward *hat-trick*.

Ar ôl colli'r ddwy gêm gyntaf ro'n ni i gyd yn gwybod bod angen i ni ennill allan yn Israel er mwyn cael unrhyw obaith o gael cyfle i lwyddo yn y grŵp. Gorffennodd y gêm yn gyfartal, 2–2, ac er 'mod i wedi sgorio'r ddwy gôl y peth mwyaf dwi'n ei gofio am y noson yna yw i Jayne golli ei thymer yn llwyr.

Roedd 'na chwaraewyr yno oedd yn poeni mwy amdanyn nhw eu hunain nag am y tîm. Does dim lle i chwaraewyr fel yna mewn unrhyw garfan. Maen nhw'n dod ag agwedd negyddol, ac mae hynny'n gallu effeithio ar bawb.

Newidiodd Jayne y garfan unwaith eto gan sicrhau bod y chwaraewyr yna byth yn chwarae eto i Gymru.

Un o uchafbwyntiau mwyaf y grŵp yma i fi oedd ennill fy hanner canfed cap. Roedd hynny yn erbyn Norwy. Er i ni golli o 2 gôl i 0, roedd y perfformiad yn llawer gwell. Roedd y gêm yn dal yn gyfartal gydag 20 munud i fynd, sy'n dangos ein bod ni'n gwella'n gyflym. Mae Norwy yn un o'r timau gorau yn y byd ond ro'n ni wedi eu gwthio nhw yr holl ffordd.

Er bod yr ymgyrch yma ddim wedi bod yn llwyddiannus, roedd pawb yn gallu gweld ein bod ni'n gwella. Ac roedd y tîm yn teimlo bod rhywbeth mawr o fewn ein cyrraedd.

Cyn y gemau rhagbrofol ar gyfer Cwpan y Byd wnaeth y tîm chwarae cwpwl o gemau cyfeillgar. Ac yn y gêm olaf, gollon ni o 5 i 0 yn erbyn yr Iseldiroedd.

Penderfynodd Jayne newid pethau. Roedd hi eisiau cyfarfod gyda fi a Sophie Ingle er mwyn esbonio popeth. Roedd hi'n mynd i newid i gael pump yn yr amddiffyn er mwyn gwneud yn siŵr na fydden ni'n ildio lot o goliau. Ar ôl gwylio Awstria yn chwarae ym

Mhencampwriaeth Ewrop roedd hi eisiau i ni chwarae steil tebyg. Maen nhw'n drefnus iawn ac yn gwrthymosod yn gyflym. Dyna oedd syniad Jayne.

Ac yna daeth yr enwau allan o'r het. A phwy oedd yn y grŵp? Lloegr. Eto!

Ond nid nhw oedd yr unig wlad ro'n ni'n chwarae yn eu herbyn eto. Roedd Kazakhstan yno hefyd. Ro'n i'n *gutted* wrth feddwl am daith hir arall i'r wlad honno. Rwsia a Bosnia a Herzegovina oedd y gwledydd eraill yn y grŵp rhagbrofol.

Ar ôl i'r grŵp gael ei ddewis mae pawb yn cwrdd i drefnu'r gemau, a phenderfynu pryd mae pawb yn chwarae'i gilydd. Roedd Jayne wedi edrych ar hyn yn fanwl a phenderfynu cael y gemau oddi cartref allan o'r ffordd yn gynnar. Y cynllun wedyn oedd gorffen gyda lot o gemau cartref.

Syniad grêt, ond roedd e'n golygu dechrau gyda dwy gêm oddi cartref yn Kazakhstan a Rwsia. Yn y gaeaf!

Y tro diwethaf i ni fod yn Kazakhstan ro'n ni'n aros mewn dinas o'r enw Shymkent. Wna i ddim dweud beth roedd pawb yn galw'r lle, ond roedd e'n dechrau gyda 'sh'! Ond y tro yma ro'n ni yn y brifddinas, Astana. Roedd y lle yn anhygoel, a'n gwesty ni'n neis iawn. Dyma welliant!

Rhaid cofio bod Jayne dan bwysau mawr cyn y gemau yma. Y teimlad oedd ei bod hi'n mynd i golli ei swydd os nad oedd gemau'r grŵp yn mynd yn dda. Ac roedd yr un peth yn wir amdanon ni fel chwaraewyr hefyd, yn enwedig y rhai hŷn. Ro'n ni wedi bod yn gwella a gwella fel tîm ond nawr roedd angen cymryd y cam nesaf.

Er bod Jayne yn hollol broffesiynol ac yn drefnus iawn, mae hi hefyd yn ein nabod ni i gyd yn dda. Y gwahaniaeth mawr rhyngddi hi a Jarmo Matikainen yw ei bod hi'n gallu ymlacio. Roedd Jarmo yn grêt, ond doedd e ddim yn gwenu llawer. Mae Jayne yn deall bod angen i ni gael hwyl hefyd, ac os ydych chi wedi ymlacio cyn mynd ar y cae, rydych chi'n chwarae'n well.

Felly, roedd y cynllun yn ei le a phawb yn barod. Ond roedd 'na bwysau hefyd. Roedd angen i ni ennill yn erbyn gwledydd fel Kazakhstan, yn enwedig yn y gêm gyntaf. Dim byd yn erbyn tîm Kazakhstan, maen nhw'n dîm sy'n gwella'n gyflym, ond roedd dal disgwyl i ni ennill.

Ar yr egwyl roedd hi'n gêm gyfartal ac roedd pawb yn dechrau mynd yn *stressed*. Ro'n nhw'n dîm trefnus ac yn gweithio'n galed, ond deg munud i mewn i'r ail hanner sgoriodd Jess Fishlock gôl wych. Aeth pawb yn wyllt!

Roedd hi mor bwysig ennill y gêm gyntaf, yn enwedig gan fod Lloegr yn y grŵp hefyd. Maen nhw'n disgwyl ennill pob gêm, felly mae pob pwynt yn bwysig. Aeth pawb yn wallgof ar y chwiban olaf, ac roedd Jayne hyd yn oed wedi gadael i ni gael drinc y noson honno. Rhaid ei bod hi'n hapus!

Rwsia oddi cartref oedd nesaf, yn St Petersburg. Mae hi'n ddinas anhygoel ond ro'n ni'n aros yng nghanol parc gyda gatiau o'i gwmpas. Roedd hi mor oer yna hefyd ym mis Hydref.

Yr un oedd y cynllun ac roedd pawb yn barod eto. Ro'n ni'n chwarae mor drefnus, pawb yn amddiffyn mor galed. A dwi'n dal i ddweud ein bod ni wedi cael ein twyllo yn y gêm yma. Dylsen ni fod wedi cael cic o'r smotyn reit ar y diwedd. Roedd e'n hollol amlwg. Aeth Kayleigh Green drwodd a dyma'r gôl-geidwad yn ei thynnu hi lawr.

Ond doedd y ddyfarnwraig ddim eisiau gwybod. Dydych chi byth yn cael newid penderfyniadau mewn gwlad fel Rwsia – fel'na mae pethau.

Ond roedd gêm ddi-sgôr yn ganlyniad gwych. Dwy gêm heb golli a heb hyd yn oed ildio gôl.

Erbyn y gemau nesaf roedd y tîm yn dechrau cael tipyn bach mwy o sylw. Mae criw marchnata yr FAW wedi bod yn wych gyda ni, ac roedd Owain Harries yn creu *buzz* o gwmpas tîm y merched. Roedd y wasg yn dechrau rhoi gymaint o sylw i ni â thîm y dynion. Doedd hyn erioed wedi digwydd o'r blaen.

Dwi'n cofio Owain yn dweud cyn y gêm gartref yn erbyn Kazakhstan bod y tocynnau'n gwerthu'n dda. Ro'n ni i gyd yn meddwl bod hynny'n golygu cwpwl o gannoedd o gefnogwyr, efallai gymaint â mil o bobl os o'n ni'n lwcus. Ond, ar y noson, roedd dros dair mil yno! Eto, wna i ddim dweud beth yn union oedd ymateb pawb, ond unwaith eto roedd e'n dechrau gyda 'sh'!

Roedd mwy o'r wasg yna hefyd a chamerâu ym mhobman. Wrth i ni gael mwy o sylw roedd 'na fwy o bwysau. Ac eto, roedd hi'n gêm anodd.

Gyda deg munud i fynd roedd hi'n ddi-sgôr a dwi'n cofio meddwl bod rhaid i ni sgorio, ddim jyst oherwydd canlyniadau'r grŵp. Roedd yr holl bobl 'ma wedi dod i gefnogi a faint fyddai eisiau dod yn ôl eto i'n gwylio ni tase'r gêm yn gorffen heb goliau?

Ond doedd dim angen poeni. Gyda saith munud i fynd sgoriodd Hayley Ladd yn syth o gic rydd. Aeth pawb yn wyllt. Rhedodd Laura O'Sullivan, y gôl-geidwad, yr holl ffordd lan y cae i neidio i mewn i'r *huddle*. Roedd e'n golygu gymaint i ni.

Buddugoliaeth arall, a doedd neb wedi sgorio yn ein herbyn ni. Ond doedd dim gobaith dathlu gormod achos roedd 'na gêm arall yn Bosnia o fewn pedwar diwrnod.

Yn Zenica roedd y gêm yma, dinas sy'n golygu gymaint i gefnogwyr Cymru. Dyna oedd lleoliad y gêm pan wnaeth tîm y dynion gyrraedd Ewro 2016. Er bod Cymru wedi colli'r noson honno, roedd canlyniadau eraill yn golygu bod y tîm drwodd i'r rowndiau terfynol.

Ro'n i'n gwybod ei bod hi'n mynd i fod

yn noson anodd. Roedd Bosnia yn dîm cryf, corfforol. Ac ro'n nhw'n defnyddio pob tric i geisio'n ypsetio ni. Ac rydyn ni i gyd yn dal i ddweud mai dyma oedd un o'r gemau mwyaf anodd yn yr holl ymgyrch.

Er i ni greu cwpwl o gyfleoedd doedd dim un bêl yn mynd i mewn. Yna, ar ddechrau'r ail hanner, dyma Kayleigh Green yn torri'n glir. Os byddwch chi'n gwylio'r fideo, gallwch glywed Jess a fi'n gweiddi, "Shoot, shoot!"

Ac yn yr eiliad yna, dyma amser yn arafu. Wrth i bawb wylio, dyma Kayleigh yn taro'r bêl i'r gôl.

Am ryw reswm, ar ôl hynny, dyma ni i gyd yn dechrau stryglo. Dwi'n credu bod y pwysau wedi dechrau effeithio arnon ni. Ro'n ni i gyd yn edrych ar ein gilydd ac yn meddwl yr un peth – "Beth sy'n digwydd fan hyn? Mae angen i ni gael gafael ar y gêm yma!"

Ac yna, yn hwyr yn y gêm, dyma ni'n ildio cic o'r smotyn.

Alice Griffiths oedd wedi gwneud y dacl, merch ifanc iawn. Roedd pawb yn *gutted* ond ro'n ni i gyd yn ceisio cuddio sut ro'n ni'n teimlo achos roedd Alice yn teimlo'n ddigon gwael, ta beth.

Dwi'n credu'n gryf mewn ffawd. Dros y tair gêm ddiwethaf roedd y garfan wedi adeiladu rhywbeth arbennig, ac ro'n i'n teimlo bod y duwiau ar ein hochr ni yr eiliad yna. Ro'n i'n gallu gweld bod y ferch o Bosnia ddim eisiau cymryd y gic, roedd hi'n edrych yn nerfus iawn. A dyma Laura O'Sullivan yn arbed y gic.

Roedd pawb yn dathlu fel tasen ni wedi ennill Cwpan y Byd! Ond roedd angen canolbwyntio achos doedd y gêm ddim ar ben. Roedd y munudau olaf yn teimlo fel oriau, ond o'r diwedd daeth y chwiban olaf.

Roedd Cymru ar frig y grŵp, uwchben Lloegr, ar ôl pedair gêm, wedi ennill tair ac yn dal heb ildio gôl.

Beth yn y byd oedd yn digwydd?

Ar ôl yr holl ymdrech roedd hi'n braf bod tipyn o fwlch cyn y gêm nesaf. Do'n ni ddim yn mynd i chwarae Lloegr am bum mis arall, yn Ebrill 2018.

Roedd 'na gystadleuaeth yng Nghyprus cyn hynny. Rydyn ni wastad wedi chwarae yn y gystadleuaeth yma ac roedd y gemau cyfeillgar yma'n berffaith i ni.

Yn yr wythnosau cyn y gêm yn erbyn Lloegr roedd y sylw arnon ni'n dechrau mynd yn fwy ac yn fwy. Roedd y tocynnau'n gwerthu'n gyflym ac roedd disgwyl tua 25,000 o gefnogwyr ar gae Southampton. Erbyn yr wythnos cyn y gêm ro'n ni wedi cyrraedd y pwynt lle doedd neb eisiau siarad am Loegr. Ro'n ni i gyd yn ymarfer ac yn paratoi ar gyfer y gêm, ond doedd neb yn sôn am Loegr. Roedd e fel Voldemort i Harry Potter. Roedd pawb yn gwybod bod y gêm yn agosáu ond doedd neb eisiau siarad am y peth.

Cyn i ni chwarae Lloegr bedair blynedd yn ôl, roedd pawb wedi mynd dros ben llestri. Ro'n ni i gyd wedi dweud beth oedd y gohebwyr eisiau'i glywed, galw'r gêm yn *grudge match* ac ati. Ac ar ôl colli'r gêm o 4 gôl i 0 roedd pawb wedi dysgu gwers.

Y tro 'ma roedd popeth lot mwy tawel, pawb wedi ymlacio mwy. Cyn mynd i wneud y cyfweliadau, 'nes i a Jess benderfynu peidio dweud dim byd dwl. A doedd y wasg o Loegr ddim yn hoffi hynny.

"Casáu Lloegr? Na, ni ddim yn casáu Lloegr o gwbl. Ni'n hoffi nhw."

Wrth gwrs ein bod ni'n eu casáu nhw, ond do'n ni byth yn mynd i ddweud hynny wrth y wasg!

Er bod gemau'r grŵp wedi mynd yn dda, do'n ni ddim wedi chwarae'n erbyn Lloegr eto. Ac roedd pawb yn credu y bydden ni'n colli'n drwm. Ond unwaith eto roedd cynllun gyda ni, ac roedd pawb yn barod. A doedd dim pwysau chwaith. Roedd mwy o bwysau cyn y gemau eraill achos bod pawb yn disgwyl i ni ennill rheini.

Dechreuodd y gêm yn wych i ni, bron yn berffaith. 'Nes i sgorio ar ôl naw munud. Yn anffodus doedd y dyfarnwr ddim yn cytuno! Doedd y swyddogion ddim yn gallu gweld yn sicr fod y bêl wedi croesi'r llinell, felly dim gôl. Does dim byd chi'n gallu'i wneud ar y pryd, a rhaid trio anghofio am y peth.

Ond dwi'n dal i gredu'n bendant bod y bêl wedi mynd mewn.

Lloegr oedd yn bygwth am weddill y gêm. Nhw oedd y ffefrynnau clir a nhw oedd yn rheoli. Ond ro'n ni i gyd yn brwydro am bopeth.

Draw mewn un cornel roedd tua 500 o gefnogwyr Cymru yn gwneud lot o sŵn.

Rydyn ni wedi cael llai na hynny yn ein gwylio ni yn chwarae gartref a nawr roedd gyda ni gannoedd yn gwylio oddi cartref.

Er bod Lloegr wedi taro'r bar ac yn pwyso'n gyson, doedd dim ffordd drwodd.

Un o'r arwyr oedd Laura O'Sullivan yn y gôl. Dyma'r gêm orau mae hi wedi'i chwarae erioed. A doedd hi ddim hyd yn oed yn gôl-geidwad tan ychydig flynyddoedd yn ôl! Chwarae pump bob ochr roedd hi ar y pryd ac ro'n ni eisiau rhywun i chwarae yn y gôl. A nawr dyma lle roedd hi yn stopio popeth roedd sêr Lloegr yn ei daflu ati hi.

O'r diwedd daeth y chwiban olaf ac wrth gwrs, aeth pob un yn wyllt. Roedd hwn yn ganlyniad anferth.

Mae lot o bobl wedi'n beirniadu ni am ddathlu gymaint. Yn gyntaf, dwi ddim yn poeni beth maen nhw'n feddwl. Ond hefyd, dydyn nhw ddim yn deall. Dydyn nhw ddim yn gweld y darlun mawr.

Doedd ein gôl-geidwad ni ddim hyd yn oed yn chwarae yn y gôl bum mlynedd yn ôl. Roedd un o'n chwaraewyr ni newydd ddod 'nôl ar ôl cael ail blentyn. Tri chwaraewr proffesiynol sydd gyda ni. Mae'r gweddill yn rhan-amser, neu'n 'broffesiynol', dim ond yn derbyn y *minimum wage*. Roedd hyn wedi bod yn daith enfawr i ni, a do'n ni'n poeni dim am neb arall.

Aeth pawb draw at y cefnogwyr yn y cornel i ddiolch iddyn nhw am bopeth. Mae 'na fideo bach o Jayne yn cerdded ar y cae ar ôl y chwiban olaf. Dyw hi ddim yn dangos emosiwn ar y dechrau. Mae hi'n ysgwyd llaw gyda rhai o chwraraewyr Lloegr, pobl mae hi'n eu nabod yn dda o'r cyfnod roedd hi'n chwarae gydag Arsenal. Ac wedyn mae hi'n agosáu aton ni oedd yn dathlu gyda'n gilydd.

Yn sydyn mae hi'n dechrau gwenu ac mae hi'n gwneud y ddawns fach 'ma, cyn cydio ym mhawb. Jig bach Jayne! Roedd yr holl beth yn hollol anhygoel. Disgrifiodd Jayne y canlyniad fel yr un gorau yn hanes pêl-droed merched Cymru. Roedd hynny'n dweud y cyfan.

Yn yr ystafell newid roedd pawb yn canu 'Delilah' Tom Jones. Roedd y profiad yn swreal, yn enwedig i'r merched hŷn. Ro'n ni'n dal i fod ar frig y grŵp. Yn dal heb golli gêm a heb ildio gôl.

Tair gêm i fynd. A phob un o'r rheini gartref.

Lloegr gartref oedd y gêm olaf yn y grŵp. Ond cyn hynny roedd yna ddwy gêm ym mis Mehefin yn erbyn Bosnia a Rwsia. A nawr roedd 'na bwysau. Ro'n ni i gyd yn gwybod bod yna gyfle i gyrraedd Cwpan y Byd. Ennill pob gêm a bydden ni yno. Ond doedd dim pwynt meddwl lot am y gêm yn erbyn Lloegr achos roedd rhaid i ni ennill y ddwy arall cyn hynny.

Yn Abertawe roedd y gêm yn erbyn Bosnia, a thros ddwy fil a hanner o gefnogwyr yn Stadiwm Liberty. 1–0 oedd y sgôr, Kayleigh Green yn sgorio. *Job done*. Ymlaen â ni.

Fel hyn roedd pawb yn teimlo ar y pryd. Ticio'r gêm yma i ffwrdd cyn symud ymlaen at y nesaf. Roedd pob gêm nawr yn cael ei disgrifio fel yr un fwyaf erioed – tan yr un nesaf!

Pum diwrnod wedyn roedd y gêm yn erbyn Rwsia. Dyma un o nosweithiau gorau fy mywyd. A dyma un o'r perfformiadau gorau erioed i ferched Cymru. Dim ond tua mil o gefnogwyr oedd yno, ond doedd dim lle i fwy. Stadiwm Casnewydd oedd y lleoliad perffaith. Stadiwm fach, yr haul yn gwenu, a'r awyrgylch yn anhygoel.

Unwaith eto, roedd Jayne wedi paratoi popeth yn berffaith. Roedd 'na gynllun pendant ac ro'n ni i gyd yn gwybod yn union beth roedd angen i ni ei wneud.

Er mai di-sgôr oedd hi ar hanner amser doedd neb yn panico. Roedd pawb mor hyderus. A dyma popeth yn clicio yn yr ail hanner.

Daeth y gôl gyntaf reit ar ddechrau'r ail hanner, gyda Kayleigh Green yn sgorio ar ôl i fi fethu rheoli! Dyma'r lle yn ffrwydro. Dwi'n cofio edrych o gwmpas ac roedd pawb yn gwenu. Ro'n i'n meddwl, "Pwy ydyn *ni* i wneud hyn i Rwsia?!"

Ac roedd gwell i ddod.

Gyda hanner awr i fynd sgoriodd Cymru un o'r goliau gorau dwi wedi'i gweld erioed. Am unwaith roedd y bêl gan Rwsia yn ein hanner ni, ond stopiodd Jess Fishlock hynny yn syth. Llithrodd hi i mewn a dwyn y bêl. Angharad James oedd y nesaf i symud y bêl mlaen ac wedyn bant â ni. Rachel Rowe â'r bàs drwy'r canol, Kayleigh Green i Helen Ward, hi'n codi'r bêl yn ôl at Green oedd wedi cario mlaen i redeg. Ac wrth i'r gôl-geidwad ddod allan dyma hi'n codi'r bêl dros ei phen ac i mewn i'r gôl.

Perffaith.

'Nes i hyd yn oed sgorio gydag ugain munud i fynd! A dwi'n cofio'r sylwebaeth yn iawn – "3–0, mae hyn yn mynd yn wirion nawr!"

Roedd y diwedd yn hyfryd. Arhosodd pawb ar y cae yn mwynhau pob eiliad gyda'r cefnogwyr. Roedd 'na ganu a dawnsio, pobl yn crio. Roedd hi mor braf gweld gymaint o blant yna hefyd achos ro'n ni'n dechrau gweld ein bod ni'n ysbrydoli cenhedlaeth newydd.

Un o'r pethau mwyaf gwallgof oedd clywed y cefnogwyr yn canu fy enw i. Ro'n nhw wedi newid geiriau siant enwog Hal Robson-Kanu i Natasha Harding. Anhygoel!

Felly, dyma ni. Cymru ar frig y grŵp, heb golli gêm ac yn dal heb ildio gôl. Un gêm oedd i fynd, ond am gêm. Gartref yn erbyn Lloegr. A tasen ni'n ennill yna bydden ni'n bendant yn cyrraedd Cwpan y Byd.

14

Y Da a'r Drwg

Roedd y cyfnod nesaf yn un od iawn, achos bod rhaid aros am ddau fis cyn gêm Lloegr. Doedd y tymor ddim wedi dechrau gyda'r clybiau chwaith, felly roedd pawb yn ymarfer a chwarae gemau cyfeillgar. Ond yr unig beth ar feddwl pawb oedd y gêm yn erbyn Lloegr. Yn amlwg, doedd neb eisiau cael anaf a cholli'r gêm enfawr yma. Ond yn un o gemau cynta'r tymor, cafodd Rachel Rowe ei hanafu yn wael.

Mae Rachel yn chwarae gyda fi yn Reading ac ro'n i'n methu credu'r peth. Mae hi mor bwysig i Gymru – roedd hyn fel tîm y dynion yn colli Aaron Ramsey cyn rownd gynderfynol Ewro 2016.

Mae colli un person fel Rachel yn gwneud gymaint o wahaniaeth i ni. Yr un un ar ddeg chwaraewr oedd wedi dechrau pob gêm, fwy neu lai, felly roedd y criw'n deall ei gilydd.

Roedd rhai o'r chwaraewyr hŷn yn gobeithio ei bod hi'n mynd i fod yn ocê. Ond roedd yr anaf yn un gwael, ac roedd angen Plan B. Penderfynodd yr hyfforddwyr gadw hyn yn dawel, a doedd neb y tu allan i'r garfan yn gwybod cyn i'r tîm gael ei gyhoeddi ryw awr cyn y gic gyntaf.

Yng Nghasnewydd roedd y gêm yn mynd i fod eto. Ond y tro yma mewn stadiwm fwy, sef Rodney Parade. Doedd lot o'r wasg o Loegr ddim yn hapus gyda hyn. Ro'n nhw'n disgwyl i ni symud y gêm i rywle mwy, fel Stadiwm Dinas Caerdydd, neu hyd yn oed Wrecsam. Roedd 'na gymaint o ddiddordeb fel y gallai hynny fod wedi gweithio'n iawn. Ond ro'n ni i gyd mor gyfarwydd â Chasnewydd. Pam newid pethau jyst cyn y gêm olaf? Ro'n ni'n hapus yn ardal Casnewydd. Fan hyn roedd y tîm wedi bod yn aros ac yn ymarfer trwy'r gemau i gyd. Doedd dim angen newid pethau reit ar y diwedd.

Gwerthwyd pob tocyn mewn diwrnod yn unig, felly roedd dros bum mil yn mynd i fod yno yn ein cefnogi ni. Un peth oedd chwarae o flaen torf fawr oddi cartref, ond do'n i erioed wedi cael y profiad yma yng Nghymru.

Wna i gofio'r noson yma am byth. Y da a'r drwg.

Ar ôl wythnosau o baratoi roedd pawb yn hen barod am y gic gyntaf. Wrth i ni agosáu at y stadiwm roedd hi'n amlwg bod y lle yn brysur. Ond roedd yr olygfa y tu allan i'r stadiwm yn sioc i bawb. Roedd 'na Fan Zone i'r cefnogwyr, a phawb o bob oedran yn mwynhau eu hunain. Un parti pêl-droed enfawr. Wrth i ni ddod oddi ar y bws roedd y cefnogwyr o'n cwmpas ni, pawb yn clapio a gweiddi. Do'n i erioed wedi profi hyn o'r blaen. Ac nid jyst ni chwaith. Roedd hyn yn ffantastig i'r cefnogwyr hefyd, ac i'r teuluoedd oedd wedi'n dilyn ni trwy'r holl flynyddoedd anodd.

Roedd y *buzz* yn afreal.

Dwi'n cofio cerdded allan i'r cae a methu credu faint o bobl oedd yno. Roedd yr awyrgylch yn anhygoel. Ac roedd e'n teimlo fel achlysur mawr. Dyma beth roedd pawb wedi bod yn breuddwydio amdano dros yr holl flynyddoedd.

Dechreuodd y gêm, ac unwaith eto roedd y cynllun yn gweithio. Ro'n i'n chwarae'n eitha uchel i fyny'r cae, a doedd Lloegr ddim wedi disgwyl hynny. Bob tro ro'n i'n cael y bêl ro'n i'n rhuthro i fyny'r cae ac yn creu ambell i gyfle, ond dim byd clir.

Ar ôl chwe munud yn unig, sgoriodd Lloegr. Dwi'n cofio'r bêl yn taro'r bar a Nikita Parris yn sgorio'n hawdd, reit o flaen y gôl. Aethon nhw i gyd yn nyts, a'r rheolwr Phil Neville yn dawnsio wrth ochr y cae. Ond roedd hi'n camsefyll.

Dim gôl.

Do'n ni'n dal ddim wedi ildio gôl yn y grŵp, a phan mae pethau fel yna'n digwydd rydych chi'n dechrau meddwl bod unrhyw beth yn bosib.

Hanner amser, di-sgôr. Beth yn y byd oedd yn digwydd?

Newidiodd pethau'n gyflym yn yr ail hanner. Roedd Lloegr lot gwell na ni. Popeth yn fwy cyflym a mwy pendant. Maen nhw'n dîm gwych ac ro'n nhw'n haeddu popeth. Ar ôl i ni fynd saith gêm heb ildio, sgoriodd Lloegr dair gôl mewn deuddeg munud.

Gydag ugain munud i fynd roedd pawb yn gwybod bod y cyfan ar ben.

Dwi'n cofio edrych draw at Jess a'r ddwy ohonon ni bron â chrio ar y cae. Roedd y gêm yn dal i fynd mlaen o'n cwmpas ni, ond ro'n i'n gwybod yn union beth oedd yn mynd trwy ei meddwl. Ydyn ni'n mynd i gael y cyfle 'ma eto? Ydyn ni byth yn mynd i gael y profiad yma eto?

Tor calon yw'r unig ffordd i'w ddisgrifio. Yn enwedig i'r merched hŷn. Allwn ni wneud hyn eto?

Am yr oriau, y dyddiau a'r misoedd nesaf roedd pawb yn galaru. Dyna'r unig ffordd alla i'i ddisgrifio fe. Galaru am rywbeth oedd mor agos. Roedd y cyfan o fewn cyrraedd. A dwi'n gwybod bod neb yn disgwyl i ni ennill. Dwi'n gwybod ein bod ni wedi cyflawni gymaint. Ond ro'n ni mor agos. Ac mae meddwl am hynny'n dal yn boenus.

Ar ôl y gêm, dywedodd Jayne, "Ma rhaid i chi gofio be chi wedi'i gyflawni. Ma hyn yn fwy na chyrraedd Cwpan y Byd. Chi wedi newid pêl-droed merched yng Nghymru am byth. Chi wedi creu llwybr clir i'r genhedlaeth nesaf."

A dyna sydd yn ein cadw ni i fynd. Dyna sydd mor arbennig.

15

Amser Ychwanegol

Dau fis yn ddiweddarach ac ro'n i'n ôl gyda charfan Cymru, y tro yma ar gyfer taith fer i Bortiwgal. Y broblem oedd 'mod i ddim rili eisiau bod yno. Ac nid fi oedd yr unig un. Roedd yr holl beth yn teimlo'n wahanol.

Do'n i ddim yn barod i chwarae i Gymru ar ôl y siom yn erbyn Lloegr. 'Nes i gael sgwrs gyda Jayne Ludlow ar y daith i Bortiwgal er mwyn dweud sut ro'n i'n teimlo. Ro'n i'n onest iawn ac yn cyfaddef 'mod i ddim yn mwynhau chwarae pêl-droed ar y pryd.

Ond ar ôl meddwl am bopeth, roedd y criw hŷn yn teimlo bod rhywbeth gyda ni i'w gynnig o hyd. Roedd yna hefyd deimlad o ddyletswydd. Dydyn ni ddim yn meddwl mai ni sy'n hollbwysig ond rydyn ni mewn sefyllfa i wneud pethau'n haws i'r chwaraewyr ifanc sy'n dechrau torri drwodd. Rydyn ni wedi gorfod brwydro am bopeth ac mae'r profiad yna'n gallu bod yn help enfawr i'r genhedlaeth nesaf. Gobeithio na fydd rhaid iddyn nhw frwydro hefyd.

Ar ddechrau 2019 roedd gêm gyfeillgar yn erbyn yr Eidal ac roedd y garfan yn gymysgedd o'r hen a'r ifanc. Er i ni golli o 2 gôl i 0 yn yr eira bydda i'n cofio'r diwrnod am byth. Ac mae hynny oherwydd beth ddigwyddodd cyn y gêm.

Roedd sioc enfawr yn ein disgwyl ni yn yr ystafell newid. Roedd y crysau coch wedi eu gosod allan yn barod ond roedd un peth yn wahanol. Roedd enwau pawb ar gefn y crysau. Efallai fod hyn ddim yn swnio fel *big deal* i lot o bobl ond ro'n ni wedi bod yn brwydro am hyn ers blynyddoedd.

Mae gweld yr enwau ar y cefn yn hollol naturiol yng ngêm y dynion ond doedd hyn erioed wedi digwydd i'r merched. Ro'n ni wedi bod yn holi a holi ers blynyddoedd ond erioed wedi cael llwyddiant. Tan nawr.

Roedd e'n sioc enfawr ac yn deimlad emosiynol iawn. Ac roedd rhaid i ni gael cwtsh enfawr wrth gwrs! Dyma gam mawr arall i gêm y merched. Mae'n dangos gymaint sydd wedi newid a bydd y merched ifanc yn cofio hyn am byth hefyd.

Pan 'nes i ddechrau chwarae ro'n i'n gorfod gwisgo hen grysau'r dynion. Crysau enfawr *baggy*, bron yn hongian i'r llawr. Ond nawr mae 'da ni ein crysau'n hunain gyda'n henwau ar y cefn.

Brwydr arall wedi ei hennill.

Dim ond nawr rydyn ni i gyd yn dechrau sylweddoli gymaint sydd wedi digwydd yn y blynyddoedd diwethaf i ferched Cymru. Rydyn ni wedi bod yn brwydro ar y cae ac oddi ar y cae hefyd.

Dwi'n cofio chwarae o flaen hanner cant o bobl. Dwi'n cofio tîm y merched yn dod i ben am gyfnod achos doedd dim diddordeb gan y Gymdeithas Bêl-droed. Dwi'n cofio pawb yn dweud 'mod i ddim yn cael chwarae. Dim ond bechgyn oedd yn chwarae pêl-droed.

Ond dwi hefyd yn cofio'r teimlad ar ôl chwalu Rwsia. Cofio'r cefnogwyr yn canu a dawnsio, pawb yn cael un parti anferth. A wna i byth anghofio'r teimlad cyn y gêm yn erbyn Lloegr. Y teimlad bod popeth wedi newid.

Mae hi wedi bod yn daith anhygoel i'r tîm

yma. Ac mae hi wedi bod yn daith anhygoel i fi hefyd. Dwi'n gwybod 'mod i wedi gwneud lot o bethau dwl ar hyd y blynyddoedd, lot o gamgymeriadau. Ond dwi hefyd wedi gwneud lot o bethau arbennig. Wedi cael profiadau fydd yn aros gyda fi am byth.

Gobeithio bydd mwy o ferched yn cael mwy o gyfleoedd yn y gêm ar ôl popeth sydd wedi digwydd yn ddiweddar. Mae'r gêm wedi tyfu gymaint ers i fi ddechrau chwarae ac mae'r newidiadau mor gyffrous. Rydyn ni'n dal i orfod brwydro am bopeth, cofiwch, ond dyw hynny ddim yn mynd i newid dros nos.

Ac un peth sy'n bendant, dydyn ni ddim yn mynd i stopio brwydro. A dydyn ni byth yn mynd i stopio chwarae pêl-droed.

Llongyfarchiadau ar gwblhau un o lyfrau Stori Sydyn 2019

Mae prosiect Stori Sydyn, sy'n cynnwys llyfrau bachog a byr, wedi'i gynllunio er mwyn denu darllenwyr yn ôl i'r arfer o ddarllen, a gwneud hynny er mwynhad. Gobeithiwn, felly, eich bod wedi mwynhau'r llyfr hwn.

Hoffi rhannu?

Gall eich barn chi wneud y prosiect hwn yn well. Nawr eich bod wedi darllen un o lyfrau'r gyfres Stori Sydyn, ewch i www.darllencymru.org.uk i roi eich sylwadau neu defnyddiwch @storisydyn2019 ar Twitter.

Pam dewis y llyfr hwn?
Beth oeddech chi'n ei hoffi am y llyfr?
Beth yw eich barn am y gyfres Stori Sydyn?
Pa Stori Sydyn hoffech chi ei gweld yn y dyfodol?

Beth nesaf?

Nawr eich bod wedi gorffen un llyfr
Stori Sydyn – beth am ddarllen un arall?
Edrychwch am deitl arall cyfres Stori Sydyn 2019.

Wil ac Aeron

– Wil Evans ac Aeron Pughe gyda Heulwen Davies